Método Inductiv
al
Estudio Bíblico

Una introducción a un proceso

de estudiar el texto de la Escritura

para discernir su mensaje a nosotros hoy en día

Dr Don Fanning

Forest, Virginia

Al menos que esté indicado, los textos bíblicos en esta publicación son de la Versión Reina Valera, 1960.

Método Inductivo de estudio Bíblico 2012 por el Dr. Don Fanning, es publicado por Branches Publications, Pensacola, FLA.

ISBN: 978-0-9904070-4-1

Contenido

El Proceso de la Comunicación de Dios

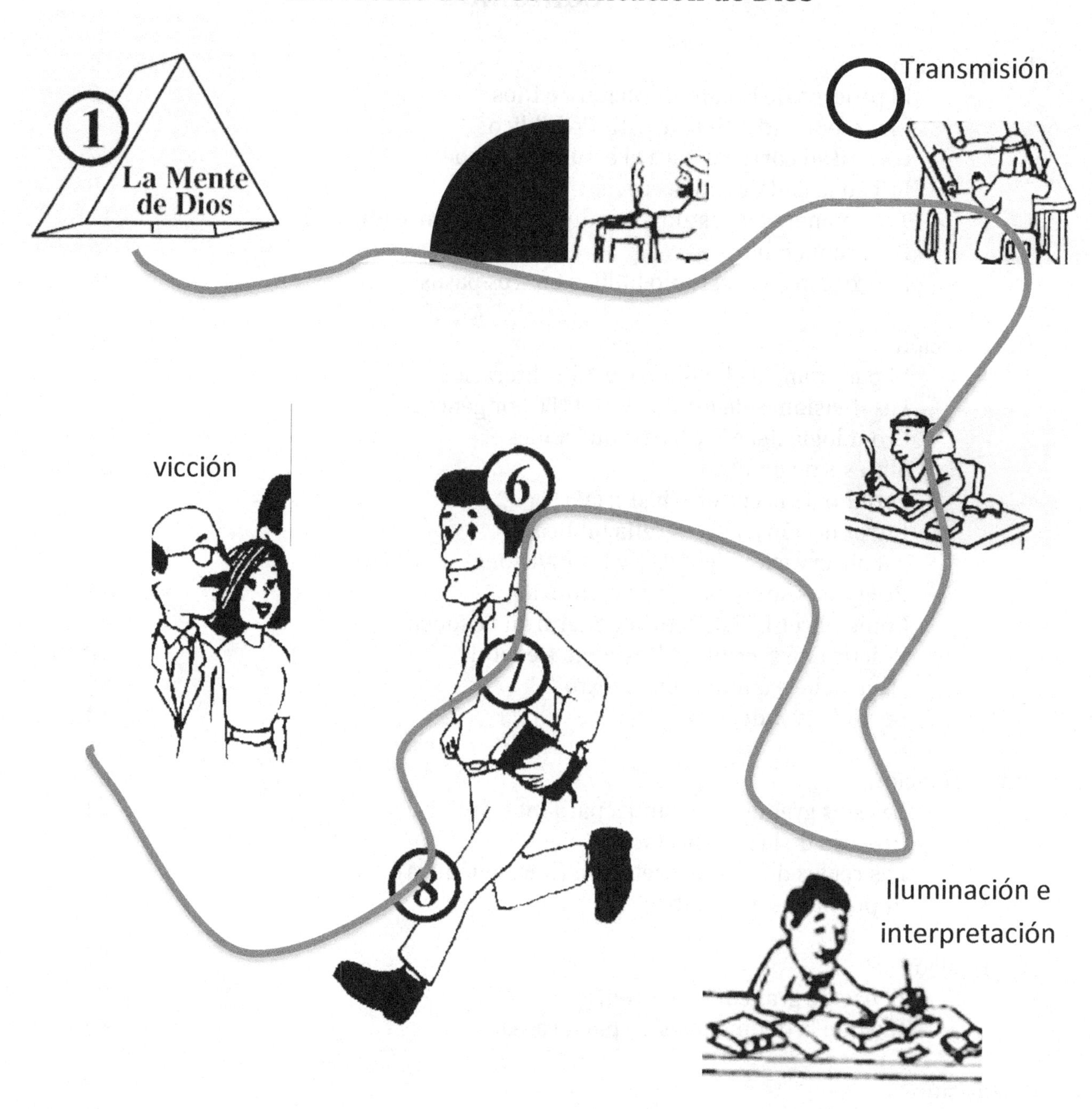

Introducción

Por años he enseñado y predicado la Palabra de Dios y a veces, confieso que no sé quién ha sido el más beneficiado. De hecho, mi gozo y satisfacción mayor ocurría en el proceso de la preparación para la enseñanza y predicación. Las horas volaban. Recibía más durante estos tiempos de estudio que de cualquier clase de entretenimiento. Los deportes o actividades de negocios parecían ser interferencia o distracción a lo que había llegado a ser mi deleite principal: la aventura de estudiar y descubrir la Palabra de Dios.

Como el programa popular en la TV, CSI, el investigador no puede formar una conclusión de culpa o inocencia hasta que toda la evidencia sea compilado e interpretado. El investigador tiene que "ir a donde la evidencia le lleve." Esta es una investigación inductiva que se puede aplicar al estudio bíblico.

Es tan maravilloso que puede llegar a ser una distracción a otras responsabilidades como la familia y ministerio a otros, así que un equilibrio es necesario. **Sea advertido**: Usted está por entrar en el deleite del estudio bíblico por descubrimiento: "

Elizabet Elliot escribió en la introducción a su libro *Mantenga un corazón quieto* ["Keep a Quiet Heart"], "Es razonable creer que El que hizo todos los mundos, incluyendo nuestro y nosotros que vivimos en él, está dispuesto a enseñarnos como vivir. El que "fue hecho carne" (Juan 1:14) para mostrarnos, día tras día, como él andaba los caminos de Galilea y las calles de Jerusalén, cómo vivir en compañía con Dios." Esta es el objetivo del estudio bíblico. Queremos saber cómo El piensa y lo que El quiere y desea, para vivir en "compañía" con El.

Los hombres siempre han seguido su intuición o imaginación de cómo Dios tiene que ser o debería ser, según sus normas. Sin embargo, Dios ha elegido a revelarse completamente en las páginas de los textos inspirados e infalibles, para que no hayan errores, mal entendimientos, o mal conceptos acerca de Quien es El y que es Su propósito. Como dos amantes separados por distancia y obligados a conocerse por correspondencia, revelando sus sentimientos más profundos con cuidado y progresivamente en la esperanza que el otro le entienda y acepte tal como es. En la misma manera Dios demuestra y declara quien es y que desea para cualquier persona que sea dispuesta a escuchar y desear conocerle de corazón por medio de las cartas de Su Palabra escrita.

Ningún otro estudio podría ser tan importante o valioso para el creyente. Imaginase una oferta de la sabiduría del Hombre más sabio que haya vivido, las perspectivas de la realidad desde la eternidad, el discernimiento de personalidades y la inteligencia del Creador. Entramos en una relación de aprendiz con el Todo Sabio, el que jamás equivoca aunque a menudo sea mal entendido, y la seguridad de que todo lo que El ha dicho y es mandado es verdad y lo mejor para nuestras vidas. El grita Su sabiduría en las páginas de las Escrituras, pero sus hijos tienen que decidir a escuchar, acercarse a El y fijarse con mucha atención si no, Sus palabras pasarán sin ser perceptivas entre el ruido de las multitudes.

Es la meta de este estudio ayudar a todos los creyentes a aprender como escuchar la voz de Dios por medio de las páginas de Su Libro para que honrarle con nuestras vidas.

Don Fanning

Método inductivo de estudio bíblico

¿Ha intentado jugar un deporte nuevo que jamás haya jugado, como críquet o squash? Puede ser que ni sabe a donde comenzar. Algunas instrucciones en el comienzo sería de mucha ayuda.

En una manera similar, muchos creyentes están interesados en estudiar la Palabra, pero no saben dónde comenzar. Cuando aprendemos cómo ser más efectivos en el estudio de las Escrituras, comprenderemos lo que Dios está diciendo al hombre, para poder practicarlo en nuestras vidas.

Revelación e Inspiración

Antes de comenzar el estudio bíblico por sí mismo, es importante contemplar las implicaciones del autor. ¿Es la Palabra de Dios en verdad y así es verdad y relevante para siempre? ¿Es la Biblia meramente los pensamientos e inspiración de los hombres? Últimamente nuestra perspectiva de la autoridad de la Biblia y de la encarnación de Cristo son relacionados. Por ejemplo, en Juan 10:34-36, Jesús enseñó que el Antiguo Testamento fue completamente exacto. Luego en Mateo 4:7, 10, Jesús citó el AT como si fuera autoritario.

Además, Jesús enseñó a sus seguidores que El estaba hablando las palabras precisas de Dios (Juan 3:34) y que Sus palabras jamás pasarán, sino que serán eternamente autoritarias (Mateo 24:35).

Luego Jesús dijo a los apóstoles que el Espíritu Santo les iba a recordar lo que El les había dicho para reproducirlo en su predicación y escribirlo exactamente, sin depender solamente de su memoria y entendimiento humano (Juan 16:12-15). Pedro confirmó lo mismo, "entendiendo primero esto, que ninguna profecía de la Escritura es de interpretación privada" (2Pe 1:20), que significa que ningún individuo o profeta por sus propias ideas o memoria, pensaba de o escribía la Palabra de Dios, ni tampoco vino por ser "traída por voluntad humana" (2Pe 1:21a), más bien "por que los santos hombres de Dios hablaron siendo inspirados por el Espíritu Santo" (2Pe 1:21b). De esta manera sus escritos fueron infalibles y la Palabra de Dios sin ningún error en los manuscritos originales. Así que tenemos en nuestros manos todo lo que Cristo quería enseñar a Su iglesia.

Su perspectiva de la inspiración debe formar una convicción y valor de su estudio bíblico y la meditación. Aunque alguien crea en la Biblia como un mensaje escrito de Dios, él fallará al propósito de Dios si no aplica la aplicación de las verdades bíblicas a su vida personal.

EL OBJETO DEL ESTUDIO INDUCTIVO DE LA BIBLIA NO ES SOLAMENTE ESTUDIARLA O INTERPRETARLA CORRECTAMENTE, SINO APLICARLA POR LA OBEDIENCIA.

Tres pasos preliminares para llegar a la aplicación:

1. Usted debe **disciplinar su voluntad** para aceptar los cambios que Dios indique.

   Juan 7:17 *El que quiera hacer la voluntad de Dios, conocerá si la doctrina es de Dios, o si yo hablo por mi propia cuenta.*

2. **Invertir tiempo** caminando en el Espíritu

   Gálatas 5:16, "*Digo, pues: Andad en el Espíritu, y no satisfagáis los deseos de la carne.*"

   a) Confesar sus pecados (1 Juan 1:9; 2 Co. 7:1)

   b) Ceder el derecho de la vida (Romanos. 12:1-2)

   c) Obedecer a lo que entiende de la Palabra (Salmos 119:10-12)

3. **Vivir en la Palabra** (Hebreos 5:11-14)

La actitud correcta para el estudio bíblico

Cuando Usted recibió a Cristo personalmente como su Salvador y Señor, comenzó una gran aventura diseñada en las páginas de las Escrituras. Mientras que lea y estudie la Biblia con la presencia del Espíritu Santo, recibirá el sentido, la fuerza, la dirección y el poder en su vida, según su deseo. Aprenderá y dependerá de muchas promesas grandes que Dios ha guardado para Sus propios hijos, conjunto con muchas instrucciones para cómo vivir de acuerdo a Su diseño.

Siempre se debe tomar la Biblia en oración con respecto, y expectativa, teniendo una mente sumisa y dispuesta. También debe haber una sed para la verdad, Su sabiduría, Su guía confiable, y el deseo de desarrollar en si mismo la mente de Cristo (Fil 2:5). Cuando mantiene un corazón humilde y contrito, se puede confiar que Dios el Espíritu Santo le revelará el entendimiento de Su voluntad y Ud. experimentará el poder limpiadora de Su Palabra eterna.

Sobre todo, cuando quiere estudiar Su palabra, hay que ser dispuesto a obedecer todos Sus mandamientos*, y regocijarse en el conocimiento que usted es un embajador para Cristo, viviendo con el propósito de reconciliar a otras personas con Dios.

*[Vea www.obedezca.com para una explicación diaria de los 365+ imperativos o mandamientos en el NT o consigue una copia de *Siguiendo Su Senda*, en www.branchespublications.com o por su proveedor local.]

• Las actitudes *NEGATIVAS:*

1. El DESÁNIMO: "No puedo entender nada."
2. Los PENSAMIENTOS NEGATIVOS: "Dudo que cualquier cosa que yo descubra me ayude."
3. EL CORAZON CERRADO: "No creo todo ni quiero cambiar."
4. LA PEREZOSA: "Me supongo que si trato de entenderlo podría, pero me parece difícil y me aburre. No vale la pena."

• Las actitudes *POSITIVAS:*

1. Los PENSAMIENTOS POSITIVOS: "*Es difícil, pero puedo.*"
2. LA RECEPTIVIDAD: "*Mi vida y corazón están abiertos.*"
3. LA EXPECTATIVA: "*Espero que Dios me hable.*"
4. LA FIDELIDAD: "*Tengo la voluntad y el compromiso de cumplir y practicar la Palabra de Dios y estoy dispuesto a invertir el tiempo y esfuerzo necesario para descubrirla.*"

La capacidad de todos creyentes

1 Corintios 2:11-14 nos muestra que todos nosotros podemos estudiar la Biblia con entendimiento.

Porque ¿quién de los hombres sabe las cosas del hombre, sino el espíritu del hombre que está en él? Así tampoco nadie conoció las cosas de Dios, sino el Espíritu de Dios.
Y nosotros no hemos recibido el espíritu del mundo, sino el Espíritu que proviene de Dios, para que sepamos lo que Dios nos ha concedido,
lo cual también hablamos, no con palabras enseñadas por sabiduría humana, sino con las que enseña el Espíritu, acomodando lo espiritual a lo espiritual.
Pero el hombre natural no percibe las cosas que son del Espíritu de Dios, porque para él son locura, y no las puede entender, porque se han de discernir espiritualmente.

Salmos 92:5 nos muestra que jamás vamos a entender toda la Biblia. Se puede pasar toda la vida estudiando sin descubrir todos sus tesoros. Es un deleite sin fin. "*¡Cuán grandes son tus obras, oh Jehová! Muy profundos son tus pensamientos.*"

Únicamente cuando alguien descubra la verdad, puede apropiarse de ella. En el momento de compartir con otro la verdad, ésta se queda externa a él y fácilmente puede olvidarla. Sin embargo cuando alguien es guiado a descubrir la verdad por sí mismo, esta verdad llega a ser una parte integral de su persona y jamás la olvidará.

La sabiduría bíblica no viene a la persona que no la busca. Proverbios 2:3-5 hace claro que las riquezas bíblicas llegan a través de mucho trabajo. ¿Cómo es que se busca tesoros escondidos (Pro 2:4)? Se busca haciendo planes en armonía con ciertos principios, invirtiendo mucho tiempo y trabajando fuertemente. Solamente ENTONCES discierne y descubre personalmente el "*temor de Jehová*" y el "*conocimiento de Dios"* (Pro 2:5). Estas riquezas dan valor y sabiduría a la vida.

Espero que diga en su corazón, "*Voy a ser un DESCUBRIDOR de las riquezas de la Palabra de Dios.*"

Vale la pena: Salmos 19:7-8 nos habla de los beneficios. ¿Cuántos? " *La ley de Jehová es perfecta, que convierte el alma; El testimonio de Jehová es fiel, que hace sabio al sencillo. Los mandamientos de Jehová son rectos, que alegran el corazón; El precepto de Jehová es puro, que alumbra los ojos.* "

Tan fácil es la entrada de error en la iglesia

Muchos errores doctrinales han resultado por la falta de perspectiva bíblica o por una mala interpretación o concepto incorrecto de las Escrituras. Jesús dijo, "*Erráis, ignorando las Escrituras y el poder de Dios*" (Mat 22:29).

Estudie la Palabra como un minero escava para el oro (Pro 2:1-7). Las grandes perlas de la verdad no están tan obvias. Se tienen que descubrir por labor e investigaciones.

Como algunos tienden a usar la Biblia

1. **Mera de consulta**: "Yo tengo un problema y quiero saber lo que la Biblia dice con respecto." ¿Curiosidad? ¿Opciones? Raramente hay un compromiso a la obediencia.
2. **Píldora de vitamina**: "Algunos versículos cada día fortalezcan la vida espiritual." La Biblia no es un ambulante ni un encanto de "buena suerte".
3. **Para buena suerte**: "Un capítulo cada día mantiene a Satanás a una distancia." Uno versículos para un sentido de ser espiritual antes de otros es una práctica legalista, egoísta y pagana que inevitablemente le prepara para una gran desilusión.
4. **Lectura repetitiva**: "Cada creyente se debe leer toda la Biblia cada año para ser espiritual." Esta es una idea buena para el conocimiento bíblico en general, pero no es estudio bíblico; si es nada más que lectura bíblica.
5. **Comentario devocional**: "Aprender las Escrituras por leer lo que los expertos dicen de la Biblia." Esto puede ayudar, pero necesitamos descubrir por nosotros mismos, para decidir lo que vamos a poner en práctica cada día.

6. **Método inductivo:** "Debemos descubrir inductivamente lo que cada parte de la Palabra de Dios significa y lo que un pasaje nos enseña en cuanto a qué creer y cómo vivir." Con este método tenemos que seguir pasos definitivos y distintos, que vamos a analizar en este manual para el estudio bíblico inductivo.

Propósito de este estudio

Este curso es dedicado a enseñar el estudio bíblico de una manera simple, clara y concisa. Son pasos que cada maestro tomó para conocer la Biblia.

Kay Arthur escriba, "El estudio bíblico inductivo le atrapa en una interacción personal con la Escritura y así con el Dios de la Escritura para que se base sus creencias en un entendimiento e interpretación legítima derivada en la oración – una verdad que transforma cuando uno decida vivir por lo que descubre."

- ¿Se encuentra abrumado con el estudio bíblico y devociones?
- ¿Se ha preguntado por qué se debe estudiar la Biblia?
- ¿Se siente que la Biblia es demasiado difícil a entender?
- ¿Se ha preguntado si Dios tiene algo para decirle?
- ¿Se ha preguntado por qué Cristianos no están de acuerdo?
- ¿Ha querido que otros aprender más en menos tiempo?
- ¿Se ha preguntado cómo mejorar su relación con Dios?

Si quiere profundizarse en la Biblia para entender claramente la voluntad de Dios, entonces, sigue con este estudio. Su vida no seguirá igual.

TRES MÉTODOS :

¿Cuál debe ser el método para estudiar la Biblia: Inductivo o Deductivo?

Hay tres métodos comunes usados para estudiar la Biblia y cada uno tiene ventajas y desventajas.

El primero es el enfoque DEDUCTIVO:

Este método es la manera más común para leer la Biblia. Es un enfoque filosófico y lógico utilizado para extraer algún sentido espiritual de cada texto en la Biblia. El lector actúa como un detective, deduciendo verdades por lo entiende. En el principio, esto parece ser ideal. Con este enfoque el lector comience con una premisa una tópica o concepto teológico que se presume ser verdad. Entonces extrae versículos fuera de su contexto para soportar la idea deseada.

En casos criminales la lógica deductiva comienza cuando la policía presume que el acusado ya es culpable, y luego intenta probarlo con cualquier evidencia posible. Legalmente, es una peligroso forma de pensar en cuanto a la justicia en las cortes, pero también en el estudio bíblico, porque se puede probar casi cualquier cosa con la deducción. El enfoque correcta es investigar toda la evidencia ANTES de formar una opinión.

Una investigación teológica que fue presentada ante un grupo de teólogos fue titulada, "Según la fe reformada, existe esperanza para el hombre más allá del alcance del evangelio?" Inmediatamente el lector debe entender que el tema será deductivo porque presume que la "Fe Reformada" es absolutamente verdad (esto es la fe de la elección, predestinación o Calvinismo). Según esta perspectiva es lógico presumir que el hombre puede ser salvo en cualquier parte del mundo si Dios le eligiera con la regeneración aunque nunca llegue a escuchar el evangelio. ¿Qué pasará a tal hombre si esta presunción no sea la verdad?

El método de la deducción tiende a saltar sobre el proceso clave que ayuda a organizar lógicamente lo que el texto bíblico dice. Las presunciones opacan la evidencia. Este método presume que lo que otra persona dice es verdad. El peligro es evidente porque cuando pasajes se extraen de su contexto bíblico, se pueden resultar doctrinas, teologías, interpretaciones y aplicaciones que pueden ser verdades o errores, pero el engaño es que parecen lógicas. El filósofo presume que si algo es lógica que siempre es verdad. Por esto existen tantas diferencias teologías entre los creyentes.

El segundo es el enfoque de OPINIONES:

Esta forma de estudio bíblico usa la personalidad o opinión del lector para ver algo de valor en la Biblia. La lectura bíblica es usada como una búsqueda para confirmar lo que el lector ya cree. El lector comienza con opiniones preconcebidas con ningún intento de cambiarlas.

Parte del problema de este enfoque es que el lector verá solamente lo que quiere ver y pasará por alto muchas verdades en los textos porque no encajan en su forma de pensar. Esta persona diría, "Pues, yo creo así...." No importa que no pueda probarlo claramente en la Biblia, o peor, no tiene cuidado que sus perspectivas conformen a la evidencia bíblica. Él confía en sus opiniones o sentimientos.

En un caso criminal, este enfoque es común al menos que haya un entrenamiento especial. Es común de formar conclusiones basados en sus impresiones, evidencias circunstanciales, rumores o opiniones populares. Solamente porque muchas persona creen algo, no es evidencia que sea la verdad. Es necesario invertir tiempo en investigar la evidencia antes de formar conclusiones.

En la lógica, lo opuesto al razonamiento inductivo es el razonamiento deductivo. La deducción comienza con leyes, verdades que se mantienen como bases infalibles se hacen las conclusiones en base a ellas. Desafortunadamente, por deducción se puede probar cualquier cosa:

> Base: "Todo el mundo ama un amante"
> Yo te amo; así que yo soy un amante.
> Tú eres parte del mundo; así que tú me amas.

El tercero es el enfoque INDUCTIVO

La palabra "inductivo" quiere decir que debe hacer el estudio personalmente y entender por sí mismo lo que dice el texto. La definición del método inductivo es: "el análisis de los hechos y la examinación de problemas prácticas dentro de su contexto, en contraste de formar una opinión teórica predeterminada. Este enfoque mueva desde lo específico a lo general" (*The Free Dictionary*, Farlex).

Una vez que se establezca una verdad por el proceso de la inducción, luego se puede usar la lógica de la deducción para extraer las implicaciones y aplicaciones.

En la corte de la ley, la lógica inductiva no hace presunciones, sino que sigue la evidencia antes de formar conclusiones. Esto es el método correcto para el estudio bíblico.

El problema principal está en establecer el fundamento de la verdad, de la cual se puede deducir consecuencias, implicaciones o resultados. Así **el proceso consiste en:**

1) establecer la verdad por el proceso de inducción,
2) luego usar el razonamiento de la deducción para formar las implicaciones para la aplicación a la vida cotidiana como el último paso.

El **método científico** intenta establecer los hechos relacionados con un tema antes de formar una conclusión. Primeramente observa con cuidado todo el fenómeno relevante y escriba sus hallazgos; luego intenta juntar las piezas del rompecabezas y desarrollar una teoría o hipótesis sobre lo que causó la situación en estudio. Finalmente, tiene que probar su teoría comprobando o negando su conclusión y obligándose a hacer más investigación.

Igualmente el médico comienza con una investigación externa de la condición física y, luego pregunta cómo se siente, y poco a poco va formando un diagnóstico de su problema. Luego prueba su diagnóstico mirando si hay otra evidencia de la condición específica. Cuando se confirme, recién establece un proceso de tratamiento basado en su observación y el conocimiento de cómo funciona el cuerpo.

Así que, el primer paso es la inducción para saber qué es lo que dice el texto y lo que uno debe creer; y, el segundo paso es la deducción para determinar lo que debe hacer.

El análisis inductivo debe preceder las conclusiones e implicaciones deductivas

Por el proceso de examinar los particulares, o las partes de un dicho o un párrafo, la inducción busca establecer un principio por la evidencia.

Es un proceso que comienza con el análisis de las palabras una por una (o las "partes") y luego usando el razonamiento o lógica para formar una verdad universal o entera. La inducción es la lógica del descubrimiento.

Extrae una conclusión general o un hipótesis solamente después de OBSERVAR con mucho cuidado toda la evidencia disponible. En nuestro estudio bíblico, tenemos que hacer todo posible para examinar toda la evidencia, y no contentarnos con solamente una parte.

Es cierto que el enfoque inductivo y el deductivo son complementarios el uno al otro en nuestra búsqueda para la verdad y el vivir bíblicamente. Sin embargo, el enfoque inductivo tiene que tomar la PRIOIDAD primeramente. Solamente se puede deducir conclusiones después de estar convencidos de la verdad por nuestra propia investigación.

¿Por qué? Demasiados creyentes "saltan a conclusiones" Muchas veces pensamos y actuamos sin suficiente información o experiencia para poder formar decisiones sabias. Aceptamos lo que no es verdad o importante y llegamos a ser cómodos con la seguridad de nuestras tradiciones. No queremos estar perturbados o obligados a cambiar. Pero no puede haber ningún crecimiento espiritual o intelecto al menos que estemos dispuestos a examinar nuestros prejuicios y presunciones, en vez de defenderlos ciegamente.

Cinco áreas de debilidad en el método de estudio bíblico.

1) **La falta de observación.** Sin haber visto todos los elementos.
2) **La falta de reflexión.** Donde se desarrolla eficiencia en el pensamiento, cuando sumando los hechos comprobados para llegar a una conclusión correcta.
3) **El peligro de depender en la opinión de otros**. Es fácil aceptar el punto de vista de otros especialmente del profesor. Solamente porque otro dice que su enseñanza es verdad, no significa que tiene la autoridad para sostenerlo.
4) **La falencia de los prejuicios.** Cuando uno prejuzga antes de examinar la evidencia, ha decidido en base a un prejuicio.
5) **Los métodos fallan por falta de experiencia**. La única manera de aprender a hacer cualquier cosa es hacerlo, pero la eficiencia lleva tiempo. Tenga paciencia.

El propósito y el resultado: ¿Por qué son tan importantes?

Dios ha entregado en nuestras manos la revelación más valiosa y preciosa de toda la creación: Su Palabra. Isaías reconoció su privilegio de haber recibido la revelación de Dios cuando escribió, *"Sécase la hierba, marchítase la flor; mas la palabra del Dios nuestro **permanece para siempre**"* (Isaías 40:8). Estamos estudiando lo eterno según Jesús, *"El cielo y la tierra pasarán, pero mis palabras **no pasarán**"* (Mateo 24:35).

Tener propósito en nuestras vidas requiere preparación bíblica para saber qué hacer, cómo hacerlo, porque hacerlo y cuándo hacerlo. Toda esta sabiduría únicamente se encuentra en la Palabra. La cantidad de información e instrucción que está contenido en ella es todo lo que necesitamos para estar entrenados en Su servicio. Pablo escribió, *"Toda la Escritura es **inspirada** por Dios, **y útil** para enseñar, para redargüir, para corregir, para instruir en justicia, **a fin de que** el hombre de Dios **sea perfecto, enteramente preparado** para toda buena obra"* (2 Timoteo 3:16-17).

Por final, cada uno de nosotros seremos juzgados por cómo usamos y enseñamos la Palabra de Dios según 2 Tim 2:15 – *"Procura con diligencia presentarte a Dios aprobado, como obrero que no tiene de qué avergonzarse, que usa bien la palabra de verdad"* (2Ti 2:15). Así que nos conviene ser lo más diligente y preciso en cómo estudiamos Su Palabra.

Panorama de los pasos del estudio bíblico

Preparación para el estudio bíblico:

1) Receptividad

Jesús dijo, "*El que tiene oídos para oír, oiga*" (Mar 4:9, luego en Apoc 2-3). Dios espera que nosotros tomemos Su Palabra en serio. Esto es evidente en las vidas de "*los que temían las palabras del Dios*" (Ezr 9:4), es decir, temían que Dios iba a hacer exactamente lo que dijo que haría. ¿Cuán importante es que aprenda de Su Palabra toda Su voluntad?

2) Lectura con cuidado

Pablo advirtió a los de Efesios que leyeran con cuidado lo que él les había escrito para que "*leyendo lo cual podéis entender cuál sea mi conocimiento en el misterio de Cristo*" (Ef 3:4). Los hábitos débiles de lectura pueden impedir nuestra comprensión de lo que Dios está diciendo; así que, hay que desarrollar la capacidad de leer con cuidado. ¿Está dispuesto a mejorar su capacidad de leer para ser eficaz en estudiar Su Palabra?

3) Reflexión sobre el sentido:

La clave para la transformación de nuestra vida es la meditación, que es una reflexión prolongada sobre de las palabras y pasajes del texto bíblico y cómo vamos a aplicar el sentido a nuestras vidas. Pablo dijo a Timoteo, "*Considera lo que digo, y el Señor te dé entendimiento en todo*" (2Ti 2:7). La palabra "considera" significa "percibir con la mente, entender, pensar acerca de, considerar (las implicaciones)" (Strong). ¿Cree usted que de toda corazón que la mejor manera de vivir es conforme a todo lo que Dios dice en Su Palabra? Sin este creencia fuerte, no tendrá suficiente motivación para ejercerse en descubrir las riquezas de Su Palabra.

Ejemplos de actitudes para cambiar:

1 Co. 15:10

2 Co. 12:10

1 Tes. 5:18

Fil. 4:6

Heb. 12:5-11

Stg. 1:2

Su concepto orgulloso de sí mismo: Fil. 2:3
Su concepto del mundo: Ro. 12:2

Su manera de pensar: 2 Co. 10:5 (Prov. 23:7)

¿Sigue dispuesto?

• La meta no es tanto que usted domine la Palabra, sino que la Palabra le domine a usted.

Una meta sin un plan será un fracaso.

Si vamos a madurar espiritualmente tenemos que aprender directamente de la Palabra de Dios, luego meditar sobre cómo pensar bíblicamente, cómo establecer prioridades y valores en la vida y cómo comportarnos según el manual de Dios. Así que es importante que tengamos un método que resulta en perspectivas correctas y claras en cuanto a lo que Dios espera de nosotros. Lo siguiente es un gráfico del método inductivo para descubrir el sentido de Dios en Su Palabra.

Grafico del proceso en general

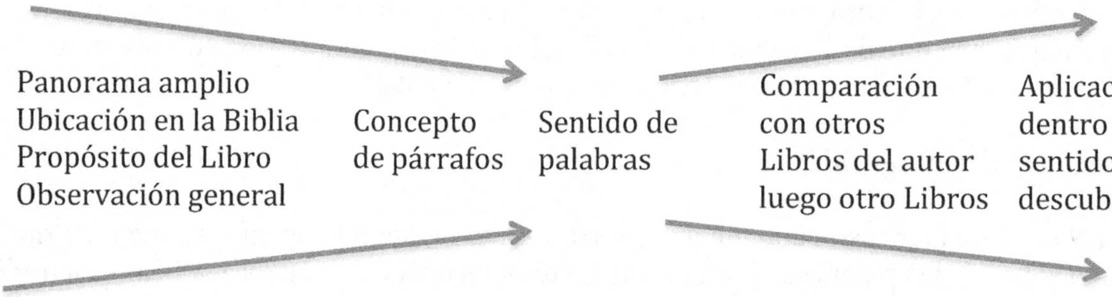

Panorama amplio Ubicación en la Biblia Propósito del Libro Observación general	Concepto de párrafos	Sentido de palabras	Comparación con otros Libros del autor luego otro Libros	Aplicación dentro del sentido descubierto

Este proceso nos guiará por los pasos siguientes

1. Examine la información con cuidado. El peligro de una mala aplicación viene por no observar bien.
2. Cuestionar e interpretar la información. El peligro de mal interpretar es por no hacer las preguntas correctas o suficientes y no correlacionarlo con el contexto.
3. Probar y aplicar la información. El peligro aquí ocurre cuando sabemos lo que el texto dice pero no queremos aplicar las implicaciones en nuestra teología o a nuestras vidas.

Tiempo + disciplina produce calidad.

La Excelencia involucra ambas cosas.

EL PROCESO DE ESTUDIO BÍBLICO EN TRES PASOS

No hay atajos

1. OBSERVACIÓN (Véalo) ¿Qué dice el texto?

La observación es el acto de fijarse, enfocar la mente, notar con atención. Es usado en la ciencia para incluir la idea de notar y grabar los hallazgos, una capacidad aplicable al estudio fructífero de la Biblia. Este estudio le dará gráficos para anotar sus hallazgos.

La observación no es solamente anotar, sino percibir y estar consciente de lo que observa. Un observador entrenado ve lo que el observador casual pasa por alto. Nuestra meta es llegar a ser un observador detallado de las riquezas escondidas dentro del texto bíblico.

Esto requerirá refinar la gramática en Castellano, aprender como disecar las oraciones complejas y cómo usar las herramientas bíblicas y lingüísticas, y la computadora (si es posible adquirir el software bíblico). Mientras mejor lleguemos a estar en observar el texto más preguntas vendrán que nos llevarán al próximo paso en nuestro estudio bíblico.

2. INTERPRETACIÓN (Entiéndalo) ¿Qué significa?

La interpretación es el proceso de llegar al sentido original que el autor quería decir a su audiencia en el primer siglo (o cuando el texto fue escrito.). Es la meta del investigador bíblico.

Se dice que cuando Toscanini tocaba la Sinfonía Novena de Beethoven, decía, "No soy yo, caballeros, era Beethoven." Queremos decir la misma cosa de nuestros estudios: queremos poder decir exactamente lo que Dios dijo cuando reveló Su Palabra.

Por preguntar el sentido de un pasaje , luego averiguar las respuestas a nuestras propias preguntas, llegamos a profundizar y enriquecer nuestros estudios. Mientras más preguntas que nos ocurran, mejor y más significativa será nuestra enseñanza. Estará contestando las preguntas de sus estudios, y también las de sus alumnos. Las preguntas normalmente se agrupan alrededor de lo siguiente:

- Definiciones de palabras
- Sentido de verbos con sus formas y modos, y frases
- Las relaciones entre otros pasajes
- El sentido literal, metafórico o simbólico
- La progresión en la revelación y entendimiento
- La implicaciones para doctrina y obediencia

3. CORRELACIÓN (Compárelo) ¿Está de acuerdo con toda la Biblia?

La interpretación resulta en la formación de un propósito o hipótesis de lo que el pasaje significa como resultado de la observación. Este propósito es verificado con otros pasajes antes y después del contexto inmediato. Siendo que la Biblia fue escrita por un Autor, el Espíritu Santo, entonces no debe haber contradicción ninguna.

Presuposición: si una contradicción surge, entonces existe un problema en algún lado de la interpretación o faltamos la clave de la armonización de los pasajes.

Luego la investigación extiende a otros Libros de la Biblia para ver cómo los otros pasajes tratan el mismo tema o concepto. Igualmente, si el Espíritu es el Autor de todos los libros inspirados, entonces no habrá contradicciones. Esto se llama la Correlación.

Solamente en este punto se debe utilizar a recursos fuera de la Biblia tales como comentarios, diccionarios o libros teológicos, con el objetivo principal de confirmar nuestros hallazgos establecidos por nuestras investigaciones hasta ahora.

Una vez que haya sido confirmada una conclusión clara del sentido del pasaje, se puede tomar decisiones con confianza acerca de lo que Dios había dicho. Es siempre la voluntad de Dios que le obedezcamos? Esta pregunta nos lleva al próximo paso:

4. APLICACIÓN (Hágalo) ¿Qué es importante para aplicar a mi vida?

Estudiar algo que no hace una diferencia en la vida es aburrido, pero aprender conceptos y principios que enriquezcan y satisfagan aumenta la motivación y el sentido de realización del propósito de la vida.

En el estudio bíblico, la aplicación es la inserción de las verdades descubiertas por medio de la observación, la interpretación y la correlación en el uso práctico de la vida personal. El resultado será la transformación hacia el diseño divino y la satisfacción profunda de caminar con Dios según Su manera y sabiduría. La Biblia fue escrita para transformar nuestras mentes, o maneras de pensar, a la medida que vamos descubriendo su sentido y sabiduría. Paul escribió, "No os conforméis a este siglo, sino transformaos por medio de la renovación de vuestro entendimiento, para que comprobéis cuál sea la buena voluntad de Dios, agradable y perfecta" (Ro 12:2).

La aplicación de la Palabra de Dios, resulta en una vida respetada en cualquier cultura.

En el paso de la Aplicación bíblica estudiaremos (1) cómo evaluar el texto para determinar si el propósito del texto fue solamente para el tiempo de la Iglesia Primitiva o fue un principio, ejemplo o mandamiento que es para todos los creyentes en cualquier época; (2) para decidir qué aplicación específica encaja en nuestras circunstancias, y las acciones necesarias para poner en práctica la Palabra de Dios; (3) para comprometernos abiertamente y con otros a rendir cuentas practicando todo lo que aprendemos.

Finalmente,

Las claves para un estudio bíblico exitoso

1. **El estudiante tiene que ser nacido de nuevo**: "*Pero el hombre natural no percibe las cosas que son del Espíritu de Dios, porque para él son locura, y no las puede entender, porque se han de discernir espiritualmente*" (1Co 2:14).

2. **El estudiante tiene que tener un amor por la Palabra de Dios**: "*Del mandamiento de sus labios nunca me separé; Guardé las palabras de su boca más que mi comida*" (Job 23:12). "*Fueron halladas tus palabras, y yo las comí; y tu palabra me fue por gozo y por alegría de mi corazón; porque tu nombre se invocó sobre mí, oh Jehová Dios de los ejércitos*" (Jer 15:16)

3. **El estudiante tiene que tener la disposición a trabajar en el estudio**: "*Hijo mío, si recibieres mis palabras, Y mis mandamientos guardares dentro de ti, 2 Haciendo estar atento tu oído a la sabiduría; Si inclinares tu corazón a la prudencia, 3 Si clamares a la inteligencia, Y a la prudencia dieres tu voz; 4 Si como a la plata la buscares, Y la escudriñares como a tesoros, 5 Entonces entenderás el temor de Jehová, Y hallarás el conocimiento de Dios*" (Pro 2:1-5).

4. **El estudiante debe rendirse completamente a Dios**. "*El que quiera hacer la voluntad de Dios, conocerá si la doctrina es de Dios, o si yo hablo por mi propia cuenta*" (Juan 7:17)

5. **El estudiante debe ser inmediatamente obediente a cualquier enseñanza que descubra en la Palabra de Dios**: "*Pero sed hacedores de la palabra, y no tan solamente oidores, engañándoos a vosotros mismos*" (Stg 1:22)

6. **El estudiante tiene que responder con la mentalidad o actitud de un niño**: *En aquel tiempo, respondiendo Jesús, dijo: Te alabo, Padre, Señor del cielo y de la tierra, porque escondiste estas cosas de los sabios y de los entendidos, y las revelaste a los niños*" (Mat 11:25). Un niño reconoce su ignorancia y está dispuesto a hacer preguntas y aprender, confiando en su maestro.

7. **El estudiante tiene que estudiar la Biblia así como es, la Palabra de Dios**. "*Por lo cual también nosotros sin cesar damos gracias a Dios, de que cuando recibisteis la palabra de Dios que oísteis de nosotros, la recibisteis no como palabra de hombres, sino según es en verdad, la palabra de Dios, la cual actúa en vosotros los creyentes*" (1Tes 2:13). Estos no son opciones o opiniones.

8. **El estudiante va a practicar la fidelidad en oración pidiendo entendimiento**. "*Abre mis ojos, y miraré Las maravillas de tu ley*" (Psa 119:18)

Primer paso: la OBSERVACION

Enfoque: ¿Qué puedo ver?

Estamos iniciando la Observación cuando hacemos la pregunta, ¿Qué dice específicamente este pasaje? Vamos a aprender cómo implementar los métodos apropiados para poder contestar esta pregunta. Los escolares bíblicos nombran este proceso "*exegesis*," un término derivado de dos palabras Griegas que significan "guiar afuera;" así que el término describe el proceso de "sacar afuera de la lectura" lo que el texto dice. Esto está en contraste agudo con el "*eisegesis*", que describe "leer adentro de" un texto las ideas propias de uno.

Comienzos

El primer paso en el estudio bíblico es captar el panorama; se tiene que ver el bosque antes de ver los árboles individuales. Tenemos que observar el pasaje en su totalidad para entender mejor las partes individuales, los versículos.

> Un crimen fue hecho. Como el Jefe investigador criminal, su mente está en máxima velocidad con un montón de preguntas. Pero al acercar la escena del crimen, usted se detiene, mira alrededor, y hace lo que tiene que cumplir primero para investigar el crimen. Primero tiene que ver todo el panorama. Observa todo con cuidado para asegurarse que no falte nada en su investigación ya comenzando. Tiene que asegurarse de que todas las cosas estén archivadas y observadas en su posición original darse cuenta de la relación entre ellas, en el tiempo del crimen, para que su investigación en el futuro y las conclusiones sean apoyadas por la evidencia. Estudiar la Biblia es muy similar a la investigación de una escena de un crimen.

La Observación primero, y luego la interpretación

Comenzamos con el Libro de Filipenses

1. Cómo leer un Libro de la Biblia –

a. Busque el contexto del pasaje
b. Identifique los temas, énfasis o conceptos principales en la lectura

Lea la Biblia Libro por Libro, no por capítulos y versículos. Las divisiones por capítulos y versículos no son inspiradas por el Espíritu Santo, sino fueron añadidas a los manuscritos siglos luego para conveniencia.

> Nuestras divisiones por capítulos fueron insertadas alrededor de 1228 D.C., probablemente la obra del arzobispo de Canterbury, Inglaterra, Stephen Langton. El hizo estas divisiones en la versión de la Vulgata Latín; después estas divisiones fueron transferidas a las versiones del NT en Griego, y finalmente en nuestras traducciones en Castellano.

Enfoque en lo obvio

Lea por todo el libro (o los capítulos seleccionados), observando todos los detalles obvios, (las personas, los eventos, los conceptos, los temas) que a menudo son repetidos. Así es como conceptualizar el fluye del libro entero o el argumento (la lógica) del autor. También este método permite el desarrollo del **sentido de la unidad del Libro**. Mientras más detalles se vean ahora, más verá en cada texto que luego sigue estudiando.

Tome apuntes en un cuaderno anotando los pensamientos del autor en cada párrafo. Cada uno es un pensamiento singular. Intente definir su idea principal. Tome su tiempo. Si tiene la meta de dominar o aprender todo lo posible de un libro, va a querer leerlo completamente 20-30 veces, ***siempre antes de comenzar el estudio***.

Como ya habíamos notado, las tres cosas que normalmente son lo más obvio para observar son las personas mencionadas, los lugares y los eventos. Ahora, no se distraiga por demasiados detalles que no entiende ni por sus pasajes favoritos. Recuérdese que su objetivo ahora es establecer el contexto en su mente, y lo logrará por observar y marcar los hechos más obvios.

Repite el lema ("Enfoque en lo obvio") varias veces al comenzar el estudio de un pasaje, capítulo o Libro. Resiste ya la tentación de mirar las notas de estudio en su Biblia (si es que la tenga). No arruina el gozo precioso de descubrir por si mismo. El primer paso es interiorizarse del pasaje por ver la totalidad del Libro o porción que está estudiando.

No se olvide el propósito de la Biblia: es la revelación de la persona de Dios, Su sabiduría y la providencia de Su intervención en las vidas de Sus seguidores. Busque esta evidencia. Tome su tiempo. No tenga prisa para cumplir todo en 15 minutos (especialmente para tener un falso sentido de espiritualidad). Descubrir las riquezas de la Palabra lleva su buen tiempo.

2. Categorice el Libro

a. Note el estilo de la Escritura
b. Identifique el propósito principal del autor

Lo que estamos tratando de establecer es el panorama del contexto del libro, luego los capítulos. Casi todos los errores en la interpretación se derivan de no tomar en cuenta la importancia del contexto de los pasajes. Así que en el principio queremos establecer el propósito del autor en cada porción del texto.

Es el libro de una *historia* (como Éxodo o Hechos)? Es el autor escribiendo *poesía* para *alabanzas* (como Salmos) o *profecía* como un advertencia o un Libro del fin del tiempo como Apocalipsis? O es un Libro de *biografía* (como los Evangelios)? Cada propósito del autor tendrá un método distinto de interpretar su material.

Mientras que sigue leyendo, mira ¿**quién** es el autor? Luego mira ¿**a quién** él estuvo escribiendo? A la vez, ¿**Por qué** el autor escribió este Libro?

3. Bosquejar el Libro (o porción estudiado)

¿Cuáles son las divisiones mayores en los capítulos del Libro? ¿Percibe un cambio de tema o tono del autor?

En este paso es mejor cuando no tiene marcado aquellas divisiones en su versión de la Biblia. Una Biblia que las tiene no permite que su mente ejerce el discernimiento del texto. Es demasiado fácil depender del discernimiento de otros.

Haga un bosquejo del pasaje Filipenses 3:10-17. Compártelo con otros para ver las similitudes.

Cada obra de la literatura tiene que ser organizada y estructurada para ser eficaz en comunicar un mensaje. Es nuestra tarea descubrir esta estructura del texto bíblico. Su bosquejo le ayudará a recordarse del material.

Mira las divisiones mayores, luego las sub-divisiones, luego los segmentos de las sub-divisiones, y finalmente los párrafos de estos segmentos. Cuando haya visto el *cuadro completo* del Libro en esta manera, se puede captar el *contexto* del Libro.

Antes de proceder más profundo en el Libro tenemos que ver el contexto mayor:

¿Dónde encaja nuestro Libro en el contexto de la Biblia entera?

El panorama bíblica

Vamos a comenzar nuestra investigación por ver el panorama del texto bíblico, luego ver cómo las partes (los Libros individuales) armonicen.

Old Testament books at a Glance

Pentateuco	**Historia**	**Poesía**	**Profecía**
Génesis	Josué	Job	Isaías
Éxodos	Jueces	Salmos	Jeremía
Levíticas	Rut	Proverbios	Lamentaciones
Números	1 Samuel	Eclesiastés	Ezequiel
Deuteronomio	2 Samuel	Cantares de Solomon	Daniel

Pentateuco	Historia	Poesía	Profecía
	1 Kings		Ósea
	2 Kings		Joel
	1 Crónicos		Amos
	2 Crónicos		Abadía
	Edras		Jonás
	Nehemías		Miqueas
	Esther		Nahúm
			Habacuc
			Sofonías
			Hageo
			Zacarías
			Malaquías

Divisiones de los Libros de la Biblia

Principalmente son agrupados por su estilo literario o su género

Cómo reconocer el estilo literario o el género: ¿Qué significan estos estilos para el interprete (nosotros)? Cada estilo literario o género usa la lengua en una manera especial. El lector tiene que entender cada pasaje según su estilo literario:

1. **Narración o historia** comunica hechos o eventos o segmentos de dialogo de los protagonistas y comunica si son correctos o falsos. En el AT hay 17 libros históricos, que constan aproximadamente 40% de la Biblia, mientras que los Profetas constan 22%, los Evangelios 10% y las Epístolas 8%. Hay quince narraciones de héroes mayores, tres narraciones trágicas mayores y muchas narraciones dispersas por todo el AT. Aquí se debe buscar ***principios***, pero tenga cuidado de no exagerar el sentido de las partes de las historias, especialmente en las parábolas (como para encontrar el sentido "escondido").
2. **Literatura de sabiduría** (Job, Proverbios, Eclesiastés, y Cantares) que fueron escritos para dar instrucción en como pensar acerca de las personas, como tomar buenas decisiones, como establecer valores, formar buenas relaciones, y percibir el pensamiento de Dios. Tenga cuidado de no hacer un dicho de sabiduría como si fuera una promesa absoluta; por ejemplo, "Si hace tal cosa, tendrá una larga vida." Es una generalidad, no una promesa. Los Proverbios no son cronológicos ni secuenciales, sino son lemas aisladas al azar. Aportan pepitas de sabiduría para aplicar a la vida.

3. **Textos poéticas** (Salmos) son oraciones y alabanzas, con instrucciones proféticas ocasionales. Otros libros escritos en parte en este género incluyen Proverbios, Cantares, Lamentaciones, Habacuc, Sofonías, Abadías, y Miqueas. Otros libros que contienen una gran parte del contenido en el género de poesía son Job, Eclesiastés, Isaías, Jeremías, Oseas, Joel, Amós, y Nahúm. Así que es un género esparcido por mucho de la Biblia, tanto en el AT como el NT. Se encuentra en el Pentateuco, partes de Ezequiel, Zacarías, Mateo, Lucas, Romanos y Hebreos.
   La poesía hebraica es única en que es un equilibrio de pensamiento, en vez de un equilibrio de sonido como en otras lenguas. Así la poesía hebraica usará una variedad de formas de paralelismo para comunicar sus ideas (estructuras de paralelismos incluyen sinónimos, antitéticos, constructivos, climáticos y figurativos). Cada uno es diseñado para definir o aclarar el pensamiento del autor.
4. **Textos Proféticos**: (Profetas) constan de un cuarto de los Libros de la Biblia (22%) y cubre más de 500 años de la historia de Israel hasta 722 AC, que fue escrito principalmente a la nación apóstata de Israel, y también a las naciones alrededor. Son libros diversos en su uso de una variedad de estilos y tópicos. La dificultad es que son largos pasajes (especialmente Isaías, Jeremías y Ezequiel) que a menudo no tienen una línea clara de su historia para que el lector pueda saber lo que ocurre.

New Testament Books at a Glance

Historia	**Cartas de Pablo**	**Cartas Generales**	**Profecía**
Mathew	Romanos	Hebreos	Apocalipsis
Mark	1 Corintios	James	
Luke	2 Corintios	1 Peter	
John	Gálatas	2 Peter	
Acts	Efesios	1 John	
	Filipenses	2 John	
	Colosenses	3 John	
	1 Tesalonicense	Judas	
	2 Tesalonicense		
	1 Timoteo		
	2 Timoteo		
	Tito		
	Filemón		

Las divisiones de los Libros del NT por género

En el NT hay cuatro diferentes géneros de Libros con sus estilos de literatura distinta:

- **Evangelios** son una narración histórica aunque técnicamente no son historia, por que el propósito principal es presentar las "buenas nuevas" a las necesidades de gente diferente (es decir, a los Judíos o a los Griegos seculares), y relatan las mismas historias con propósitos distintos. Los Evangelios Sinópticos, Mateo, Marcos y Lucas contienen muchas de las mismas historias de Jesús, de las cual muchos contienen historias a veces no relacionadas, pero siguen progresivamente por la vida de Jesús. Mientras tanto, el Evangelio de Juan contiene menos detalles de la vida de Jesús y gira alrededor de siete milagros escritos para probar su deidad.

  Las enseñanzas de Jesús se categoricen en los siguientes tipos de contextos: dichos de ***sabiduría*** (Mateo 5:3-10; 7:7, 12), dichos de ***antítesis*** o atacando una posición por tomar una perspectiva opuesta o un punto de vista diferente (Mat 5:21, 27, 31, 33, 38, 43), ***argumentación*** como un razonamiento formal (Mat 6:25-34) con respecto a preocuparse: por ejemplo, si Dios tiene cuidado de los pájaros y flores, cuanto más tendría cuidado de Sus hijos. Luego hay el ***debate o dialogo*** con Judíos acerca de sus enseñanzas (Juan 6;35-71; 7:14-44).

- **Parábolas** son historias simples que comunican verdades muy profundas. Son una figura de comparación. Tiene que ver con temas principales de la historia. El autor está relacionando ciertos aspectos del carácter, los eventos y las circunstancias culturales para ilustrar una verdad o actitud, no necesariamente una doctrina. El peligro en enseñar los parábolas es extraer de lo más que el autor original quería decir (se llama *eisegesis*). El parábola no debe ser analizado como un pasaje didáctico. Al contrario, tiene que estudiarlo como una lección ilustrada por un solo tema. Algunas preguntas para hacer:

  - Determine porque el parábola fue dicho.
  - ¿ El autor declara el sentido del parábola o da una explicación?
  - ¿Hay un elemento de sorpresa en el parábola?
  - ¿Se comprende el sentido central del parábola cuando se quitan los elementos secundarios?
  - Enfoque en las partes esenciales de la historia que contribuyen al sentido sin exageraciones de las partes no esenciales.
  - Compare los pasajes de los parábolas, si existen.
  - No use las parábolas para formular la doctrina, pero para clarificar otras doctrinas que se encuentran en pasajes más claras.

- **Epístolas o cartas de enseñanza** se llaman literatura didáctica diseñadas estar analizadas para nuestra corrección y enseñanza, y para establecernos en la doctrina y obediencia a los mandamientos. De los 27 Libros del NT, 21 son Epístolas. No hay ninguna Epístola en el AT. Esta es la forma más primitiva de literatura Cristiana, siendo que varias Epístolas fueron escritas antes del primer Evangelio (por ejemplo, Santiago, 1 y 2 Tesalonicenses, 1 y 2 Corintios, Romanos y probablemente Gálatas), que probablemente fue Marcos. Estas Epístolas nos dan las primeras interpretaciones y aplicaciones de las enseñanzas de Jesús.

Pablo escribió 13 de los 21 Epístolas del NT, y cubrió el panorama doctrinal de la teología. Ocho de las Epístolas son "Generales" porque no están dirigidas a ninguna iglesia o individuo. Juan escribió tres Epístolas (más un Evangelio y Apocalipsis); Pedro escribió dos; y Santiago y Judas escribieron una cada uno. Hebreos es anónimo, pero es el más cristológica de todas las Epístolas, especialmente los primeros diez capítulos.

Las Epístolas contienen el material más rico para entender las verdades teológicas y conceptos del comportamiento práctico, los valores y actitudes bíblicas.

- **Apocalíptico** es un género de literatura y el título del último Libro del NT. Este estilo es usado en la segunda parte de Daniel, ciertos pasajes en Joel, Amos y Zacarías. En el NT, Mateo 24, Marcos 13, 1 Tes 4:13-18 y el Libro de Apocalipsis se consideran apocalípticos. Los pasajes apocalípticos del NT fueron escritos para revelar los eventos de la Segunda Venida de Cristo y los eventos que siguen el Rapto. Estos pasajes se deben tomar tan literalmente que sea posible, y los símbolos mencionados son explicados en otro Libros (como Daniel y Ezequiel).

Cronología del NT

Los Libros fueron escritos en un tiempo que se refiere o implicado en el texto de las Epístolas. Apéndice E da una cronología completa de toda la Biblia. Lo siguiente es una muestra de la información introductoria para el texto de Filipenses en nuestro estudio.

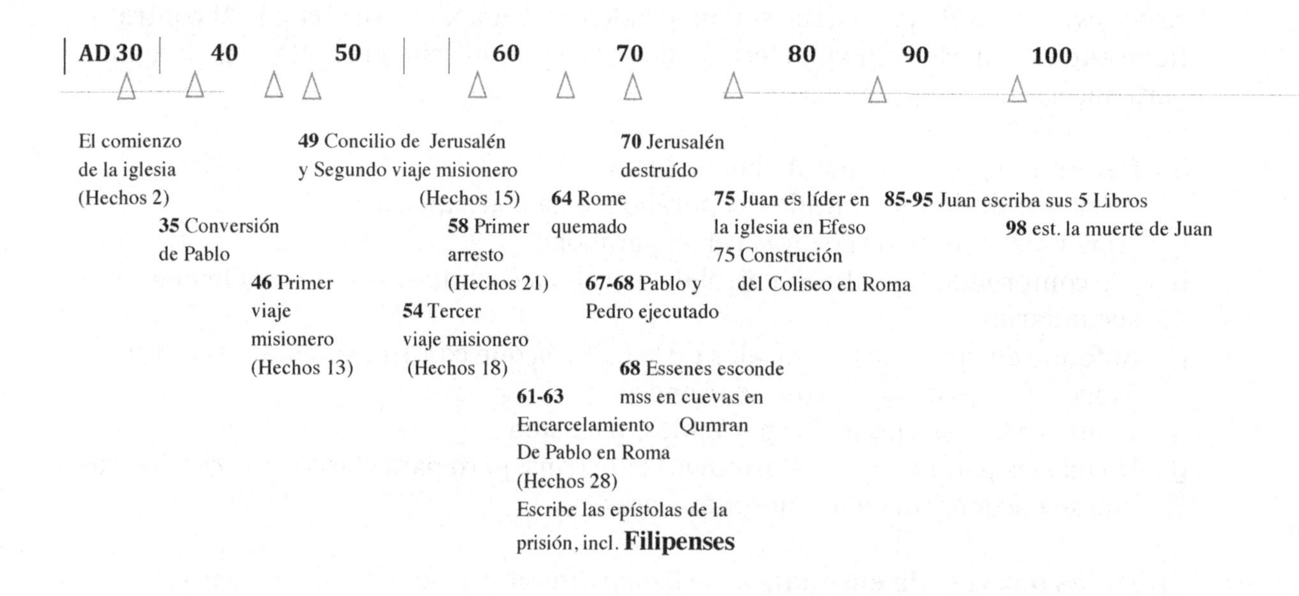

El texto seleccionado para la práctica: Filipenses 3:10-17

El texto que estudiaremos en esta práctica vendrá del Epístola de Filipenses, así que entendemos que será un texto didáctico que se puede analizar con cuidado

Mejores traducciones para el estudio bíblico y bosquejar

Es recomendado que la selección de la traducción para el estudio bíblico sea una traducción literal, en vez de un paráfrasis o equivalente dinámica. Una buena traducción emula el original lo más posible lo cual permite analizar la estructura del texto antes de examinar las palabras.

Reina-Valera 1960
La Biblia de las Américas
Reina-Valera 2009

Las versiones en paráfrasis tienden a presentar una traducción concepto por concepto (esto es, un equivalente dinámico del original, pero las palabras pueden ser distintas). Estas versiones enfoquen más en la comunicación del sentido, que en la traducción de las palabras originales y la estructura del griego.

Biblia Latinoamericana 1995
Dios Habla Hoy
El Libro del Pueblo de Dios
La Palabra de Dios para Todos
Nueva Versión International

Cada traducción tiene cierto grado de interpretación. Las traducciones más honestas usan palabras en itálica para indicar las palabras que no están en los originales.

El proceso paso-a-paso para la OBSERVACION

PRIMEROS PASOS

Introducción y fondo histórico del Libro de Filipenses

Es importante estudiar las circunstancias históricas de un Libro para apreciar o entender las situaciones actuales que provocaron los comentarios en la Epístola. Por ejemplo, si el autor pone un énfasis en como el creyente es consolado por el gozo que tenemos en Cristo, tiene más impacto saber que hubo una cruel persecución histórica en aquel tiempo. El fondo histórico añade más sentido al texto.

Autor

Solamente en el caso de Hebreos en el NT el autor no es identificado. Sabemos la historia y las características de los demás autores, lo cual nos da un sentido más personal, y aprecio por su vida transformada por el Señor. En el caso de Filipenses, el autor el Pablo, un Judío Cristiano dado una misión de plantar iglesias entre los gentiles.

Fecha

Queremos saber la fecha para entender mejor el contexto o acontecimientos históricos cuando el libro fue escrito. Esto añade más fondo al estudio. En nuestro caso de Filipenses, fue escrito por Pablo aproximadamente en 61 DC, desde Roma durante su encarcelamiento esperando su juicio ante el corte del emperador. Si Cristo fue crucificado en el año 30 DC, entonces ya estamos 31 años desde la fundación de la Iglesia.

Circunstancias

Todos los Libros de la Biblia fueron escritos a propósito, así que es nuestro intento averiguar la razón o motivo que provocó el autor a escribir el Libro. Esto nos ayuda a entender ciertas exhortaciones, instrucciones o referencias en el contenido.

Pablo y su equipo había estado en Filipo durante su segundo viaje misionero aproximadamente 10-12 año antes (Hechos 16:11-40). Esta fue la primera iglesia establecida por Pablo sobre el continente Europeo.

La carta fue escrita desde Roma donde Pablo fue encarcelado por haber provocado un tumulto en Jerusalén hace 4-5 años. Es posible que algunos convertidos desde Jerusalén y/o otros discípulos del ministerio anterior de Pablo ya habían establecido la iglesia en Roma. Al escuchar de su encarcelamiento en Roma, los hermanos en Filipo le habían enviado a Pablo una donación por medio de Epafrodito (un miembro, obrero, anciano o líder de la iglesia), que llegó justo a tiempo (4:18). Pablo está escribiendo esta carta para agradecer a los de Filipo y para animarles en su generosidad para apoyar a todos sus ministerios.

La carta fue escrita cerca del fin de su encarcelamiento después de haber escrito Colosenses, Efesios y Filemón, porque Pablo hizo referencia de la salida de Lucas (2:20), pero él estaba con Pablo cuando escribió Colosense (Col 4:14) y Filemón (Filemón 1:24).

Lectores

La carta fue escrita a todos los creyentes en Filipo, pero también para todos los creyentes en cualquier lugar. Las situaciones en Filipo no son muy distintas a lo que otros creyentes han experimentado a través de todos los siglos desde aquel entonces.

Propósito de escribir la carta

Casi ninguna iglesia sostenía el ministerio de Pablo. Esta iglesia fue la primera de mandar una donación cuando estuvo en Tesalónica (Fil 4:15), y ahora una segunda donación había llegado para sus necesidades en Roma. Hay que entender que cuando alguien estaba en las prisiones de aquel entonces los prisioneros dependían de las personas afuera para sobrevivir.

Pablo está expresando su aprecio por la generosidad de los hermanos de Filipo, y para animar a cualquier creyente en sus circunstancias difíciles a experimentar el gozo que solamente puede resultar de una relación íntima con Cristo.

Bosquejo básico

Después de haber leído el libro múltiples veces, el objetivo es poder sintetizar el libro en bloques de temas mayores. Estos temas llegan a ser los puntos principales en un bosquejo del libro. Luego va a descubrir más sub puntos de estos temas mayores.

1. Gozo en sufrir (1:1-26)
2. Gozo en servir (1:27-2:30)
3. Gozo en creer (3:1-4:1)
4. Gozo en repartir (4:2-23)

La Síntesis de un libro

LA TOTALIDAD DA SIGNIFICADO A LAS PARTES

Ejemplo de un gráfico del Libro de Filipense

La interpretación de un pasaje depende del contexto, primeramente dentro del Libro mismo. Así que, para tener una perspectiva del Libro entero, una herramienta que le ayudará es hacer un gráfico de todo el Libro. Prácticamente este paso lo hará en diferentes escalas. Mientras que sigue estudiando el Libro, se va añadiendo al gráfico sus ideas en cuanto sentido del texto. Recuerde: esto será *su* gráfico para *su* estudio. Hazlo propio. Es para su enseñanza.

- En una guerra las pequeñas batallas solamente tienen importancia cuando uno entiende la estrategia de la guerra en su totalidad.
- El principio del proceso tiene su base en la elaboración de la síntesis de todo un libro.
- Luego cuando descubra los detalles, compárelos con la perspectiva general, o sea, con el contexto.

Es una *visualización* del libro entero hecha por uno mismo y produce los siguientes beneficios:

- Le permite ver la totalidad del libro en una hoja de papel.
- Revela el tema principal del libro.
- Puede ver cómo cada parte contribuye a la totalidad del libro.
- Hace que el libro sea más fácil de recordar y así más fácil de enseñar.
- Permite desarrollar un estudio/mensaje por cada división.

Cuando está leyendo el libro entero, haga divisiones mayores del texto. Sería mejor usar una Biblia sin notas o notaciones para el máximo beneficio de este ejercicio. Eventualmente será posible visualizar a el Libro entero (y luego otro Libro hasta que pueda visualizar todo el NT Libro por Libro, y últimamente el AT). Así con tiempo se puede conocer el contenido o el título de cada capítulo o división mayor de cada Libro de la Biblia. ¿No le parece que el Señor sería agradecido que alguien tomara Su Palabra con esta seriedad? Póngalo como una meta en su vida. Tiene toda la vida para conocer bien Su Palabra. No pierde tiempo en actividades vanas. Comience un programa para ser un maestro de Su Palabra.

Cualidades de un gráfico de la síntesis de un libro:

- Claridad
- Brevedad
- Enfoque (un libro)
- Entendible
- Sencillo
- Comprensivo (todas las partes)
- Nítido

La preparación para iniciar un estudio bíblico

- ***Orar:*** "Abre mis ojos para que pueda ver las maravillas de Tu Palabra y que yo esté dispuesto a aplicarlo a mi vida."
- ***Leer***

A. Para acostumbrarse a un libro debe leerlo 3-4 veces. G. Campbell Morgan, ¡leía un libro 40-50 veces antes de comenzar a estudiarlo!

B. Primera lectura: Busque el propósito (Juan 20:31)

C. Segunda lectura: Busque frases que se repitan o palabras de énfasis

D. Tercera lectura: Descubra la estructura del libro.

Todos los libros están estructurados alrededor de una de estas cinco áreas:

1. Personas (1 y 2 Samuel, 1 y 2 Reyes, Génesis 2-50)
2. Lugares (Hechos, Josué)
3. Eventos (los evangelios, Génesis 1-11)
4. Conceptos (Romanos, Proverbios)
5. Tiempo (Lucas, Apocalipsis)

Pasos para hacer el gráfico de un libro

Paso 1: Hacer un gráfico con líneas

- Dejar suficiente espacio para cada párrafo o capítulo

Ejemplo: **La Vida en Cristo – Filipenses**

Testimonio	Ejemplos	Exhortaciones
1:1 1:26	1:27 4:1	4:2 4:23

Paso 2: Resumir los párrafos

- Escriba las referencias al final de cada división.
- Cada título debe ser mas o menos igual de largo.
- Debe estar en el mismo tiempo del verbo.
- Debe inventar una frase que represente a todos los párrafos del capítulo y se relacione con el tema del capítulo.
- Las divisiones de capítulos y versículos no son inspirados sino añadidos, después de años, a las traducciones. A veces es necesario cambiar la división de los versículos.

1. Los títulos pueden reflejar el *significado* (una doctrina o principio) o el *contenido.*

   Ej. Juan 11

   Contenido: La resurrección de Lázaro.

   Significado: El poder de Cristo sobre la muerte.
2. No debe ser demasiado general para no aplicar a otros capítulos.
3. Hágalo en forma breve y corta para facilitar la memorización.

Testimonio	Ejemplos		Exhortaciones
1:1 1:26	1:27	4:1	4:2 4:23
Cristo nuestra vida	Cristo nuestro modelo	Cristo nuestra meta	Cristo nuestra suficiencia

Paso 3: Elegir las divisiones mayores

- Los párrafos o capítulos que tratan del mismo tema forman divisiones.

  Ej. Ro. 1-11 es la división de doctrina; Ro. 12-16, la división de práctica/aplicación.
- Coloque un título para estas divisiones mayores.
- Dé a cada división un título que sea breve y general para cubrir el concepto del texto.
- Cada libro de la Biblia es distinto y su bosquejo demanda examen y observación.
- Insinuaciones de nuevas divisiones:
  - La repetición de una palabra, frase o idea significativa.

    1 Cor 7:1; 7:25; 8:1, 4; 12:1; 16:1 y 16:12
  - Las enseñanzas de Jesús en Mateo están divididas en 5 partes con las palabras "cuando Jesús terminó estas palabras", en 7:28; 11:1; 13:53; 19:1; 26:1.
- El tamaño del título de la división depende de su contenido, no del número de versículos. Un libro breve puede tener 5-6 divisiones; mientras un libro largo, puede tener solamente dos divisiones.
- Las divisiones por párrafo son más fáciles para resumir las divisiones principales.

Testimonio	Ejemplos		Exhortaciones
1:1 1:26	1:27	4:1	4:2 4:23
Cristo Nuestra Vida	Cristo nuestro modelo	Cristo nuestra meta	Cristo nuestra suficiencia
Glorifica a Cristo (1:20)	Ser como Cristo (1:27)	Ganar a Cristo (3:8)	Ser contento en Cristo (4:1)

Paso 4: Buscar las subdivisiones

Clarifique el contenido de cada división principal ordenándolo en subdivisiones con títulos y describiendo el contenido con otra perspectiva.

- Así puede ver todo el contenido de cada división. Ejemplo de Jonás.

Testimonio	Ejemplos		Exhortaciones
1:1 1:26	1:27	4:1	4:2 4:23
Cristo Nuestra Vida	Cristo nuestro modelo	Cristo nuestra meta	Cristo nuestra suficiencia
Glorifica a Cristo (1:20)	Ser como Cristo (1:27)	Ganar a Cristo (3:8)	Ser contento en Cristo (4:1)
Fuente del Espíritu (1:19)	Comunión en el Espíritu (2:1)	Adoración por el Espíritu (3:3)	Gracia por el Espíritu (4:23)

Las palabras claves: el día de Cristo, en Cristo, regocijo, evangelio, Espíritu, mente, amor

El versículo clave: 1:21

Lea por todo el libro (o cuatro a seis capítulos a la vez en un mes de estudio) en que está enfocando. Haga una notación de las segmentos principales en el texto. Estos puntos llegarán a ser más evidentes en el ejercicio del Bosquejo de la Estructura que sigue.

Luego haga un resumen de los temas o capítulos del Libro en una frase (como arriba). Sigue modificando estas frases mientras que continúe en su estudio del Libro. Eventualmente será posible repasar el Libro entero (y luego el NT) diciendo el propósito de cada capítulo o división principal de cada Libro en la Biblia, sin apuntes. Sigue estudiando hasta que logre esta meta. Recuerde que tenemos toda la vida para dominar Su Palabra. No pierde tiempo. Comience un programa para ser maestro de la Biblia.

Ejercicios extra:

- Haga un gráfico de 1 Tesalonicenses. Hágalo de manera original, sin hacer referencia a otros libros.
- Sugerencias: 5 de las divisiones mayores y las divisiones de párrafos son las siguientes: 1:1; 1:2-10; 2:1-12; 2:13-16; 2:17-20; 3:1-10; 3:11-13; 4:1-8; 4:9-12; 4:13-18; 5:1-11; 5:12-22; 5:23-24; 5:25; 5:26-27; 5:28
- Invente sus títulos de cada sección para memorizar. ¿Puede haber cualquier subtítulos?

El estudio de la cultura/historia

Definición de cultura: las distintas características de raza, religión o sociedad, es decir, lo que la gente hace por costumbre, cómo vive, cómo piensa, cómo actúa y sus tradiciones.

- Somos muy distintos a la gente de la Biblia, pero la tendencia es pensar que ellos eran como los latinos comunes. Los pintores de la edad media pintaron a Cristo como viviendo en esa época, por ejemplo, la Última Cena. ¡No usaron mesas sino siglos después de Cristo! En realidad ellos reposaban en el piso en un semicírculo con los pies afuera.

- Los factores importantes de la cultura son su nacionalidad, gobierno, religión, lenguaje, literatura, costumbres, vida social, metas, ambiciones, creencias, ambiente físico, ubicación geográfica y el tiempo y relaciones con las naciones periféricas.

Procedimiento para estudiar el trasfondo cultural de un libro en la Biblia

1. **Leer el libro y notar los puntos con significado cultural e histórico.** Ejemplo: la práctica de "Corbán" (Marcos 7:11) provocó una reprimenda de Jesús. Era la práctica de declarar que todo su dinero iría al Templo cuando la persona muera, y así pareciera más espiritual entre los Judíos. Al comprometer su dinero a Dios, ya no tenía la obligación de ayudar a sus padres en su necesidad y/o vejez. Jesús discutió contra la tradición de los Fariseos aplicando el 5° mandamiento. No se entiende el pasaje si no se entiende la práctica cultural.

2. **En la lectura note las razones que motivaron al autor a escribir el libro.**

   - Busque una declaración clara del autor (Juan 20:31; 1 Juan 5:13).
   - Se puede deducir la condición de los lectores. Cuando la Biblia dice "No haga tal cosa", significa que estaban haciéndolo.
   - Problemas específicos o necesidades mencionadas por el autor a los que recibieron su carta/libro. Ejemplo: en 1 Corintios se mencionan 15 problemas que Pablo corrigió.
   - Busque el énfasis o distinción especial del libro (Pedro escribió a los que sufrieron por Cristo). ¿Qué tipo de sufrimiento en aquel entonces?
   - Busque los eventos especiales en el libro. En Filipenses, Pablo hizo referencia a 12 eventos históricos. En el NT las iglesias eran pobres, sin embargo se sacrificaron para dar la ofrenda a Jerusalén (2 Co. 8:2).

3. **Note la información importante del autor.**

- Busque sugerencias de su personalidad, madurez, creencias, valor o ejemplo.
- El uso de los libros de la historia (extra-bíblicos) puede ser una ayuda.

4. Note dónde y cuándo fue escrito el libro.

- Podemos descubrir cuándo escribió Pablo la epístola de 1 Tesalonicenses comparándola con el libro de Hechos.
- Generalmente son dirigidos a uno de los 4 grupos: la nación Israel, creyentes del AT y individuos del NT o iglesias.

5. Note la información o nivel espiritual de los receptores del libro.

- La idea de que "todas las promesas de la Biblia son mías", es equivocada (Mt. 23:27-33).
- Ni tampoco todos los mandamientos (Gé. 22:3). Como el joven que, buscando la voluntad de Dios, eligió 3 versículos al azar (Mt. 27:5; Lc. 10:37; Jn. 13:27).

Cinco características de un estudio bíblico bueno:

1) Tiene que ser sistemático y consistente. Lc. 2:27; Hch. 17:11
2) Tiene que ser una investigación original de la Biblia misma.
3) Tiene que escribir sus hallazgos.
4) Tiene que ser aplicado personalmente a su vida. Sal. 119:59-60
5) Tiene que ser transferible. Prov. 5:15

Ejercicios opcionales:

1 Tesalonicenses fue escrito en el segundo viaje misionero de Pablo, mientras estaba en Corinto. Haga los ejercicios siguientes:

a. Escriba una lista de 5 características culturales en 1 Tesalonicenses.

b. Note los diferentes grupos de personas que originalmente formaron la iglesia. (Vea Hechos 17:1-11).

c. Con la ayuda de libros extra-bíblicos, anote 3 ó 4 características culturales que describen la ciudad de Tesalónica y las circunstancias en las que la gente vivía cuando recibieron la carta.

Introducción a la geografía bíblica

Definición: Los nombres, ubicaciones, elevaciones de países, montañas, mares, y lagos; el clima y los recursos naturales de la región bíblica y la distribución de los habitantes.

La Creciente Fértil

- Aproximadamente el tamaño de Argentina.
- Más de la mitad es desierto inhabitable.
- La gente vivía o en el valle del Nilo o en el valle de Mesopotamia (Ríos Éufrates y Tigris)
- Entre los dos valles se situaba el valle del Jordán y Jezreel (el tercero valle más fructífero del mundo actual).
- Palestina era el puente entre los dos centros de la civilización.

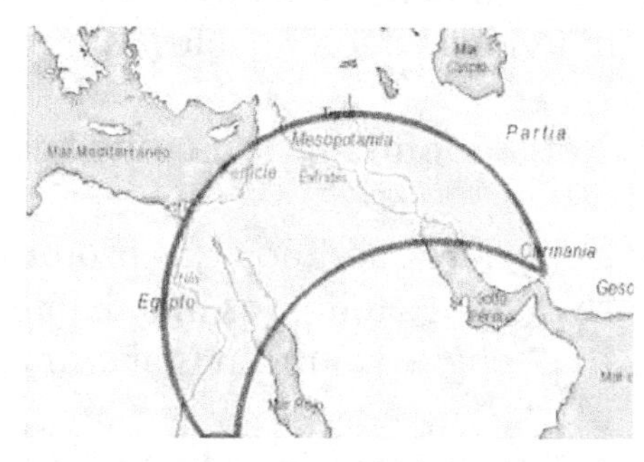

El creciente fertil

La tierra de Palestina

Nota: Palestina es una derivación de Filistina de los filisteos, los enemigos antiguos de Israel. Actualmente a los judíos no les gusta el término.

- Separado por montañas, mar y desierto.
- El mar mediterráneo al occidente (oeste). Pero antes de llegar al mar existe una sierra desde el Negev ("sur" en Hebreo), hasta el suroeste del Mar de Galilea.
- Otra sierra va diagonalmente desde el Monte Carmelo hasta el sur del Mar de Galilea.
- La "Transjordania" (*otro lado* del Jordán) casi alcanza los 2.000 metros en el altiplano de las 3 tribus de Israel (Rubén, Gad y Manasés)
- Los llanos de la costa son anchos en el sur, pero terminan en Monte Carmelo.
- El valle entre el altiplano de Galilea y la sierra del Monte Carmelo se llama Esdraelón, Armagedón y Jezreel.
- El río principal es el Jordán que fluye desde el Monte Hermón (3.000 metros) hasta el Mar de Galilea (-200 metros bajo el nivel del mar), continuando por el río Jordán hasta el Mar Muerto (-650 metros bajo el nivel del mar).

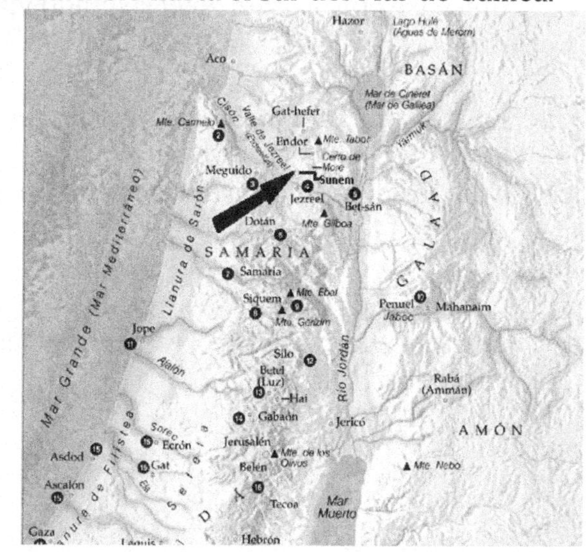

- Aparte de los llanos y unas pocas rutas, era casi imposible viajar por el terreno montañoso.

El clima de Israel

- El mar y el desierto casi se tocan en Israel.
- La lluvia varía entre 12 cm. en el Negev a 100 cm. en las montañas de Líbano. Por eso es vital la provisión de agua.
- De la sierra del oeste proviene el aire fresco del mar que llega al valle de Jordán dejando un clima árido.

- Dos veces al año sopla un viento que se llama "siroco", que es cálido y seco. En el otoño y la primavera las condiciones climáticas en todo Israel le muestran como desierto (Jer. 4:11; Is. 27:8; Jonás 4:8).
- Dos tiempos de lluvia: el fin de la primavera y el fin del verano (la lluvia "temprana" y "tardía").

Instrucciones para observar la geografía bíblica

1. Note las referencias geográficas en cualquier libro que estudia.

- Use el Diccionario Bíblico.
- Use la concordancia para ver otras referencias de estos lugares.

2. Ubique en un mapa los lugares del texto.

Ejemplo: las distancias entre Filipo y Tesalónica era de ± 100 Km, sin embargo, ellos enviaron a Pablo dos ofrendas en menos de 4 semanas… ¡a pie! (Fil 4:8).

3. Note las distancias entre los lugares

- La distancia entre el sur de Galilea y el inicio del Mar Muerto es apenas de 90 km — la distancia que María y José viajaron de Galilea a Belén.

4. Consulte con un mapa de relieve para estar consiente de la topografía.

- Jerusalén estaba sobre un monte de casi ***800 m. SNM***, por eso habla de "subir a Jerusalén."
- Jericó estaba casi ***-300 m bajo el nivel del mar***, ahí se entiende el dicho, "*desciende de Jerusalén a Jericó*" (Lucas 10).

5. Dibuje un mapa para grabar en la mente ciertos detalles geográficos.

- No tiene que hacerlo detalladamente, sino como borrador. Es personal, no para publicar.
- No tiene que poner muchos detalles para no confundir. Está investigando si la geografía podía haber sido un factor que afectaba los hechos, o simplemente para apreciar los hechos.
- Mostrar ciertos puntos en el mapa por medio de…
  1) Usar colores.
  2) Sombrear áreas con líneas paralelas.
  3) Hacer una guía para explicar los colores o áreas sombreadas.
- Dibuje en negro las fronteras, caminos o viajes de personas o ejércitos. Cuando sea necesario, haga una distinción en la línea.

Ejercicios opcionales:

- Pablo empezó su 2º viaje misionero desde Antioquía en Siria, llegó a Filipo, su primera parada en Europa. Desde allí fue a Tesalónica.
- De las pautas del estudio geográfico, investigue Filipenses.

- Note los lugares mencionados.
- Haga referencia a Hechos 15:36-18:11 para más detalles del viaje de Pablo.
- Para más información, investigue en un Diccionario Bíblico.
- Dibuje un mapa de Grecia y Macedonia con los lugares importantes referidos en nuestro texto de estudio.
- ¿Puede ubicar Filipos en el mapa?
- ¿Dónde está Tesalónica? (Mira a Hechos 17:1). Note la distancia entre Filipos y Anfípolis. Será importante en Filipenses capítulo 4.

La observación del texto bíblico

Introducción a cómo estudiar un párrafo:

Fútbol: A la medida que vayamos entendiendo las reglas, juegos, planes, estrategia y personalidades, empezamos a apreciar el juego.

Arte: Si no sabe lo que es importante, no sabe lo que tiene que buscar: forma, estilo, técnica, expresión, y movimiento en el cuadro. Los críticos del arte dicen: "*El cuadro nos juzga, no nosotros al arte.*" ¿Por qué?

Película del FBI: La agentes examinen un foto por tres minutos, luego tienen que contestar 100 preguntas. La norma es 35% correcto. Si no saben lo que es importante, no sabe lo que deben buscar.

Una vez que hayamos identificado el fondo histórico y cultural y el panorama de Hechos dónde encaja el Libro del NT, y finalmente un sobre vista del Libro de nuestro estudio (Filipenses), entonces ya estamos listos para enfocar más en los detalles del Libro.

1. Enfoque en un segmento del texto que queremos estudiar. Este segmento puede tener varias párrafos que toque un tema. Para nuestro estudio el texto será Filipenses 3:10-17.

2. Una vez que seleccione el pasaje, tiene que dividir el segmento en oraciones o pensamientos individuales. Busque los puntos de división o separación de pensamiento en el texto. La clave de las divisiones en una oración o versículo son las palabras de conexión o nexos (conjugaciones), palabras verbales (como gerundios) o frases que introducen una clausula descriptiva.

3. Note los "quebrantantes del código" (conjunciones o nexos) que introducen un pensamiento nuevo o adicional. Las palabras siguientes siempre deben ser notadas:

Nexos para visualizar la estructura de un pasaje:

Causa o razón: clausulas introducidas con "*porque, que, siendo*".

> *Pero cuando Pedro vino a Antioquía, le resistí cara a cara,* ***porque*** *era de condenar.*
> (Gal 2:11)

Comparación: clausulas introducido con "*asimismo* (Ef. 1:11), *también*(Ef. 2:3), *así como, como* (Ef. 5:23), *como también* (Ef. 4:32), *más, más que, también, Así también...como* (Ef. 5:28)".

> *El marido cumpla con la mujer el deber conyugal, y* ***asimismo*** *la mujer con el marido.*
> (1Co 7:3)

Condiciones: clausulas introducidas con "*si*".

> *No nos cansemos, pues, de hacer bien; porque a su tiempo segaremos,* ***si*** *no desmayamos.*
> (Gal 6:9)

Continuación: clausulas introducidas con "*y, porque o...o, ni, tampoco, o*".

> *Todo aquel que niega al Hijo,* ***tampoco*** *tiene al Padre. El que confiesa al Hijo, tiene también al Padre.* (1 Juan 2:23)

Contraste: clausulas introducidas por "*antes bien, pero* (Ef. 2:4), *más bien, sino que*(Ef. 4:15), *sino, a no ser por, pues mucho más* (Ro. 5:15), *no obstante* (Ro. 5:14), *pues* (Ro. 1:21), *aún* (Ro. 5:8), *en lugar de, ya* (Ro. 11:6), *de otra manera*, entonces."

> *No os embriaguéis con vino, en lo cual hay disolución;* ***antes bien*** *sed llenos del Espíritu,*
> (Ef 5:18)

Énfasis: clausulas introducidas por "*a la verdad, he aquí, ciertamente*".

> *Y* ***ciertamente****, aun estimo todas las cosas como pérdida por la excelencia del conocimiento de Cristo Jesús, mi Señor, por amor del cual lo he perdido todo, y lo tengo por basura, para ganar a Cristo,* (Phi 3:8).

Explicación: clausulas introducidas por "*después que, y, más, entonces*".

> "*Y ésta es la confianza que tenemos en él, que si pedimos alguna cosa conforme a su voluntad, él nos oye*" (1 Juan 5:14)

Locación/ posición: clausulas introducido por "*habiendo, en aquel, en, a*". *donde* (Col. 3:1)
"*porque aún sois carnales; pues* ***habiendo*** *entre vosotros celos, contiendas y disensiones, ¿no sois carnales, y andáis como hombres?*" (1Co 3:3)

Propósito/resultado: clausulas introducidas por "*para que*(Ef. 6:22), *para esto, para que* (Ef. 2:8), *más para, para* (Ef. 2:15), *para esto mismo, pero* (Ef. 2:4), *así que ya* (Ef. 2:4)".

"Pero levántate, y ponte sobre tus pies; porque para esto he aparecido a ti, para ponerte por ministro y testigo de las cosas que has visto, y de aquellas en que me apareceré a ti" (Hechos 26:16)

Tiempo: clausulas introducidas por *"después de, después, cuando, entonces, en aquel tiempo, en aquel día, finalmente, antes de, antes* (Ef. 1:4), *delante de, entonces, hasta ahora, hasta, hasta que* (Ef. 4:13), *mientras, entre tanto, entre tanto, ahora* (Ef. 2:2)

"En lo cual vosotros os alegráis, aunque ahora por un poco de tiempo, si es necesario, tengáis que ser afligidos en diversas pruebas" (1Pe 1:6)

¿Cuántas de estas palabras se encuentran en Filipenses 2? Cuántos en Filipenses 3?

PREGUNTAS SOBRE LAS OBSERVACIONES

Tenemos que analizar 12 preguntas sobre la estructura o las relaciones de las partes de una oración o texto.

1. **¿Cuáles son las *palabras claves*?** Son las palabras principales que son esenciales para el entendimiento.
   Cuando lea un pasaje por primera vez, busque las palabras claves (las que cree importantes). La repetición de palabras a veces es importante. Subráyelas. Las palabras indispensables para el sentido de la oración, especialmente cuando no son palabras comunes, o que pueden tener una variedad de sentidos según el contexto, son palabras claves que se debe investigar más.

2. **¿Hay *mandamientos, amonestaciones, advertencias o promesas*?**
   Busque con cuidado las amonestaciones y los avisos que el autor da, como también las exhortaciones y las advertencias. Busque los verbos imperativos para evaluar si los mandatos son aplicables a la iglesia actual. Invente algún sistema para marcarlos en su Biblia. Así también se deben anotar las porciones de consuelo y promesas.

3. **¿Hay CAUSA-Y-EFECTO, o razones?** Si se ve el efecto, ¿qué es lo que lo causa? Si se ve una causa, ¿cuál será el efecto? A menudo son introducidos por "porque, para, así que, por esto...". Efesios 1-3 es la causa y el efecto es Efesios 4-6.

   Muchos de los mandamientos del Antiguo Testamento tienen este sentido: "si hace tal cosa, resultará tal consecuencia". Un clásico versículo es Oseas 4:6, "Mi pueblo fue destruido, porque le faltó conocimiento. Por cuanto desechaste el conocimiento, yo te echaré del sacerdocio; y porque olvidaste la ley de tu Dios, también yo me olvidaré de tus hijos". Por descuidar la Palabra, Dios descuidará al hijo desobediente: causa y efecto.

4. **¿Hay cosas parecidas, comparaciones o similares? ¿Hay cosas diferentes?** ¿Por qué son diferentes? Nota: Los contrastes son introducidos por "no, pero, sin embargo, aunque o antes que"). En Gálatas Pablo usó la idea del contraste para probar su posición de la superioridad de la gracia ante el legalismo y del Espíritu sobre la carne.

Note cómo el autor usa los contrastes, comparaciones e ilustraciones para presentar sus ideas. El contraste es la asociación de cosas opuestas, a menudo introducidas por "pero". Debe estudiar la razón de la similitud o contraste. El *sabio* es como la *hormiga* en Prov. 6:6-8. ¿Cuáles son los puntos de comparación?
Los libros de Gálatas, Hebreos y Santiago están llenos de contrastes.

5. **¿Qué usa el autor para dar énfasis? ¿Hay cosas repetidas?** (Hebreo 11: "Por fe..."). ¿Hay movimiento de lo general a lo específico; de menor importancia hacia mayor importancia?

   La repetición de palabras, ideas, o frases puede iluminar el propósito del autor. Tenga cuidado de fijarse en las listas de cosas o ideas. Compare las partes para ver si hay significado en el orden: ¿Hay progreso o un punto clave? El pasaje es *inductivo* (movimiento de las partes o elementos hacia el concepto global o entero) o *deductivo* (movimiento de lo global o concepto completo hacia las partes o aplicaciones de particulares).
   La técnica de dedicar mucho espacio a un tema, personaje, doctrina o historia es para dar prioridad o importancia a lo que está revelado.
   El orden de las palabras en el original es usado para comunicar énfasis, pero es difícil traducir. Los comentarios que derivan sus enseñanzas de las lenguas originales pueden ayudarle a descubrir lo que no es tan evidente en la traducción en español.

6. **¿Usó mucho espacio para dar énfasis?** Los primeros *30 años* de la vida de Jesús se cubren en Lucas 1:1—2:52 (8% del libro) y en Lucas 3:1—19:28 describe casi *3 años* de Su vida; pero en Lucas 19:29—24:53 (aproximadamente 25% del libro) describe los eventos de una *semana.*

7. **¿Hay preguntas o respuestas, cómo son usadas?** (2 Corintios) (Romanos 6:1, 15) ¿Hay un problema y una solución?

   Observe bien el uso de las preguntas, porque a menudo son usadas para introducir nuevos temas, párrafos o ideas. A veces son usadas para resumir una serie de ideas, como una conclusión de un argumento. Pablo hacía preguntas que eran comunes en su día, ideas que una enseñanza bíblica provocaba y que demandaba una respuesta. En otras ocasiones es un desafío al pensamiento.
   Para ejemplos vea Juan 3:4; Romanos 6:1; 8:31-35; 11:34-35

8. **¿Está usando *nexos* importantes (preposiciones o conjunciones)?** ¿Hay nexos que tienen sentidos especiales (*"pero, así que, para que, si, y")?* Nexos como *para que* o *porque* son muy similares a causa-y-efecto. Hay nexos que indican ***condiciones***: *"Si... entonces..."* que indican condiciones específicas para su cumplimiento. *Si* hace tal cosa, *entonces* Dios hará tal cosa. También hay nexos de ***propósito o razón***. Preste atención a las frases como "para que" o "para". Note las frases que comunican ***resultados***, "así que", "por esto" (Fil. 3:1). Arriba hicimos una lista de ejemplos de estos nexos.

   Cada frase contiene un verbo y por lo menos un sujeto. Una oración puede tener muchas frases unidas con nexos indicando el tipo de relación o ampliación de un concepto. El entendimiento del uso de los nexos y cómo introduce la frase que sigue apunta a un sentido específico.

9. **¿Hay un problema y una solución?** A veces el autor escribió para contestar un problema o corregir un error que había invadido la iglesia. Todas las enseñanzas tienen razón de ser. Hay que buscarlas.

10. **¿Hay algo importante en la construcción gramatical?** El tiempo de los verbos, el énfasis por la construcción, el uso de los participios o la estructura de las cláusulas apuntan a un significado específico. (Vea el apéndice para cosas específicas que debe observar en la construcción gramatical).

    La gramática incluye verbos, sustantivos, pronombres, adverbios, adjetivos, participios, gerundios, etc.). ¿Puede reconocer estas partes de una oración?

    No tema la palabra "gramática". Esté alerta para fijarse en el uso de los verbos y sus tiempos y el uso de cada parte de la frase. Distinga entre lo que *sentimos* que la frase dice o lo que *queremos* que la frase diga y lo que *dice la frase gramaticalmente.*

11. **¿Es importante la forma literaria?** (Vea el apéndice para más ejemplos) Siempre note la forma literaria del pasaje: discurso, poesía, drama, parábola, didáctico, apocalíptico. También hay que determinar si el intento del autor es literal o simbólico. Tiene que interpretar el pasaje según el estilo que usó el autor. Cada estilo tiene normas de interpretación distintas.

12. **Al escribir la estructura general,** ¿revela un énfasis o prioridad especial?

- Se puede estudiar Juan 3:1-10 en 30 minutos o en 25 horas, dependiendo de la profundidad de las observaciones.
- Alguien hizo 600 observaciones de un versículo: Hechos 1:8
- Las OBSERVACIONES deben ser registradas en la columna central.

Debe notar la relación de ideas dentro del pasaje por como están estructuradas las oraciones. A veces el autor dice algo en general y lo explica con ejemplos, o puede nombrar una serie de ideas en frases unidas por nexos para expresar un concepto o doctrina. La Biblia está escrita en columnas sin ningún énfasis ni estructura evidente. Vamos a reformar el texto, sin cambiar las palabras para hacer evidente el énfasis, porciones importantes y claridad de la expresión de las ideas.

Cómo estudiar la estructura general de Fil 3:10-17

Una de las mejores maneras para visualizar un pasaje bíblica en su totalidades arreglar las frases y las oraciones comenzando con el pensamiento principal, luego arreglando las frases y oraciones abajo del segmento de la oración que modifican o describan. El resultado será un bosquejo general o estructural. Antes de comenzar el análisis de las partes de un segmento o oración, vamos a ver como todas las partes son estructuradas en forma de bosquejo.

La estructura involucra la relación e interrelación de las partes o componentes. Cuando hay dos de cualquier cosa (términos, frases, cláusulas, preposiciones, nexos, oraciones, párrafos, capítulos, etc.) hay *estructura.*

- La oración principal o introductoria debe comenzar a la izquierda de la columna.
- En cada renglón hay una frase modificadora o una oración completa con sustantivo, un verbo y objeto (si lo hay).
- Los nexos verbales (gerundios, o participios), pronombres relativos o preposiciones marcan el principio de otras oraciones que describen parte de la oración principal.
- Las frases que comienzan con preposiciones modifican los sustantivos (que funciona como un adjetivo) o los verbos (así la preposición funciona como un adverbio). Debe colocar la frase directamente debajo de la palabra que la modifica.
- Cada renglón cumple un solo propósito.
- Hay dos tipos de oraciones:
  - Independiente
  - Dependiente
- Las que son dependientes deben ser colocadas directamente debajo de la frase o la palabra que la modifica o describe.

Suj. verbo C.D.	**RP Suj. Verbo**
Pedro pegó la pelota	*que Jorge tiró.*
Independiente	**Dependiente**

Así será formada como abajo:

Pedro pegó la pelota
        ↑*que Jorge tiró.*

- Todas las oraciones/frases/palabras que son relacionadas deben figurar en paralelo y se deben colocar verticalmente.

1 Tes. 1:3 *acordándonos sin cesar delante del Dios y Padre nuestro*
de la obra de vuestra fe,
del trabajo de vuestro amor
y de vuestra constancia en la esperanza en nuestro Señor Jesucristo.

- El uso de interrogaciones puede servir para resumir un argumento o *introducir* un argumento. Debe colocarse en relación con la idea a la que se refiere.

Formando la Estructura General

Involucra escribir de nuevo el texto en una forma que revele la estructura gramatical.

Definición:

Así que estamos buscando:
1. **Lo que** Dios ha dicho (contenido) por un autor/escritor.
2. **Cómo** Dios lo ha dicho (forma) y lo que esto significó a los lectores y a nosotros.
— las relaciones de las palabras, frases, clausulas, nexos y oraciones.
— la estructura o arreglo de elementos de cada oración

Elementos de la estructura general del pasaje

Un autor expresa su mensaje a través de la gramática.

1. **Verbos**. (Asegure que pueda identificar todos los verbos en cualquier oración). Haga un círculo alrededor de los verbos en este versículo:
Por lo demás, hermanos, gozaos en el Señor. A mí no me es molesto el escribiros las mismas cosas, y para vosotros es seguro. (Fil 3:1)

2. **Sujeto de la oración** y/o el **Complemento Directo** del verbo (esto es el objeto que recibe la acción del verbo). Marque un complemento directo en este versículo:
Porque nosotros somos la circuncisión, los que en espíritu servimos a Dios y nos gloriamos en Cristo Jesús, no teniendo confianza en la carne. (Fil 3:3)

3. Modificadores o palabras descriptivas (**adjetivos**, si describen un sustantivo, o **adverbios** si definen un verbo o verbal). Marque los adjetivos en este versículo:
Guardaos de los perros, guardaos de los malos obreros, guardaos de los mutiladores del cuerpo. (Phi 3:2)

4. Aprender como identificar **clausulas dependientes** (no es una oración completa; a menudo introducido por un pronombre relativo como *cuando, que, entonces*) y **clausulas independientes** (oraciones que son completas). Marque las clausulas en este versículo:
Porque nosotros somos la circuncisión, los que en espíritu servimos a Dios y nos gloriamos en Cristo Jesús, no teniendo confianza en la carne. (Fil 3:3).

5. **Frases** (especialmente frases preposicional) y **palabras verbales** (gerundios, infinitivos o participios). Marque las frases preposicionales
Aunque yo tengo también de qué confiar en la carne. Si alguno piensa que tiene de qué confiar en la carne, yo más: (Fil 3:4)

6. **Nexos o conjunciones**, que juntan o compare diferentes frases, clausulas o oraciones para un sentido especial. Marque el nexo y ¿qué significa el nexo en esta oración?
Pero cuantas cosas eran para mí ganancia, las he estimado como pérdida por amor de Cristo. (Fil 3:7)

Principios para seguir en desarrollar el bosquejo general:

1. Reconocer que el párrafo es la unidad básica de estudio y sentido comunicado.

   a. No el versículo ni el capítulo.
   b. Un párrafo es un grupo de oraciones/ideas relacionadas que tratan con una idea o tema.
   c. Pueden haber pensamientos subordinados, pero siempre están unidos.
   d. No son inspirados, así que se puede evaluarlos y, si es necesario, cambiarlos.

2. Las declaraciones o dichos principales de un párrafo (declaración, pregunta o mandamiento) deben estar puestos al margen extremo izquierdo de la página.

3. Cada renglón debe contener una declaración principal y sus modificadores, al menos que:
   a. No haya más que un modificador de cada tipo.
   b. El modificador no sea demasiado largo.

Y ciertamente, aun estimo todas las cosas
como pérdida por la excelencia del conocimiento de Cristo Jesús, mi Señor,
por amor del cual lo he perdido todo,
y lo tengo por basura,
para ganar a Cristo, (Fil 3:8)

4. Las cláusulas subordinadas y las frases están puestas debajo de la línea de la declaración principal, directamente abajo de la palabra que describe o a la que se refiere.

4. Dos o más modificadores incluyendo la cláusula *subordinada* (o *dependientes*) o frases (preposicional, adverbial, etc.), o varios complementos directos, están escritos debajo de lo que definen, al menos que sean tan breves que puedan mantenerlo en el orden original del texto.
   ¿Puede marcar la palabra que cada frase o oración describe en la oración previa?
   y ser hallado en él,
   no teniendo mi propia justicia,
   que es por la ley,
   sino la que es por la fe de Cristo,
   la justicia que es de Dios por la fe; (Fil 3:9)

6. Las cláusulas de coordinación relacionadas con los nexos *y, pero, o, ni, para,* y *para que* generalmente se consideran como la introducción de una declaración principal, así que tiende más hacia la izquierda.

7. Las listas de nombres, cualidades o acciones deben ser tabuladas en columnas verticales para mayor claridad.

Práctica de escribir un bosquejo general

Paso uno: Escriba el texto de la Biblia como aparece en forma digital sin párrafos o división. (Así es muy difícil de ver que parte modifica a cual parte). Filipenses 3:10-17.

a fin de conocerle, y el poder de su resurrección, y la participación de sus padecimientos, llegando a ser semejante a él en su muerte, 11 si en alguna manera llegase a la resurrección de entre los muertos. 12 No que lo haya alcanzado ya, ni que ya sea perfecto; sino que prosigo, por ver si logro asir aquello para lo cual fui también asido por Cristo Jesús. 13 Hermanos, yo mismo no pretendo haberlo ya alcanzado; pero una cosa hago: olvidando ciertamente lo que queda atrás, y extendiéndome a lo que está delante, 14 prosigo a la meta, al premio del supremo llamamiento de Dios en Cristo Jesús. 15 Así que, todos los que somos perfectos, esto mismo sintamos; y si otra cosa sentís, esto también os lo revelará Dios. 16 Pero en aquello a que hemos llegado, sigamos una misma regla, sintamos una misma cosa. 17 Hermanos, sed imitadores de mí, y mirad a los que así se conducen según el ejemplo que tenéis en nosotros. (Fil 3:10-17)

Paso 2: Separa cada oración con un sujeto y un verbo en un reglón y/o por separación las oraciones, frases y verbales que describen una palabra anterior (Esto muestra los diferentes elementos del párrafo, pero no como están relacionado).

a fin de conocerle,
y el poder de su resurrección,
y la participación de sus padecimientos,
llegando a ser semejante a él en su muerte,
11 si en alguna manera llegase a la resurrección de entre los muertos.
12 No que lo haya alcanzado ya,
ni que ya sea perfecto;
sino que prosigo,
por ver si logro asir aquello
para lo cual fui también asido por Cristo Jesús.
13 Hermanos,
yo mismo no pretendo haberlo ya alcanzado;
pero una cosa hago:
olvidando ciertamente lo que queda atrás,
y extendiéndome a lo que está delante,
14 prosigo a la meta,
al premio del supremo llamamiento de Dios en Cristo Jesús.
15 Así que, todos los que somos perfectos,
esto mismo sintamos;
y si otra cosa sentís,
esto también os lo revelará Dios.
16 Pero en aquello a que hemos llegado,
sigamos una misma regla,
sintamos una misma cosa.
17 Hermanos,
sed imitadores de mí,
y mirad a los que
así se conducen según el ejemplo
que tenéis en nosotros.

¿Puede explicar la razón de cada división arriba? Nota los nexos, verbales y frases preposicionales como marcadores de frases distintas?

Paso 3: Ubique cada frase o en el comienzo de un concepto nuevo o ubicarlo debajo de la palabra/frase que lo describa o modifica. (Examine abajo para ver si entiende cada posición).

a fin de conocerle,
y el poder de su resurrección,
y la participación de sus padecimientos,
llegando a ser semejante a él en su muerte,
11 si en alguna manera llegase a la resurrección de entre los muertos.
12 No que lo haya alcanzado ya,
ni que ya sea perfecto;
sino que prosigo,
por ver si logro asir aquello
para lo cual fui también asido por Cristo Jesús.
13 Hermanos,
yo mismo no pretendo haberlo ya alcanzado;
pero una cosa hago:
olvidando ciertamente lo que queda atrás,
y extendiéndome a lo que está delante,
14 prosigo a la meta,
al premio del supremo llamamiento de Dios en Cristo Jesús.
15 Así que, todos los que somos perfectos,
esto mismo sintamos;
y si otra cosa sentís,
esto también os lo revelará Dios.
16 Pero en aquello a que hemos llegado,
sigamos una misma regla,
sintamos una misma cosa.
17 Hermanos,
sed imitadores de mí,
y mirad a los que
así se conducen según el ejemplo
que tenéis en nosotros.

Paso 4: Al mirar el texto es evidente que cae en tres o cuatro divisiones mayores. Estas divisiones llegan a ser los tres puntos principales de una lección o sermón. Esto es como el Espíritu Santo inspiró el pensamiento principal de Su mensaje a las iglesias. ¿Puede reducir estos tres bloques del Bosquejo General en una sola idea? ¿Cuántas ideas subordinadas pondría de bajo de la idea principal?

3:10-12 (Escriba el tema principal):

3:13-14 (Escriba el tema principal):

Es posible que quiera hacer una diferencia entre v. 15 y vv. 13-14 (Escriba el tema principal)

■ Acuérdese que no hay una sola manera de formar el Bosquejo –

3:16-17 (Escriba el tema principal):

¿Puede resumir este estudio en una sola oración?
Sugerencia por contestar estas preguntas:

¿Qué es el tema principal o el sujeto?

¿Qué dice Pablo acerca del sujeto?

- Acuérdese que es su sentido del pasaje que usted quiere comunicar.
- Pregunta como cada segmento de pensamiento se relaciona a otros segmentos. ¿Qué es el flujo de pensamiento? ¿Cómo ha ordenado los segmentos del texto para comunicar su mensaje?

Hoja de trabajo: Hacer títulos de cada sección del pasaje y nombra los sub-puntos:

I. ______________________________

a fin de conocerle,
y el poder de su resurrección,
y la participación de sus padecimientos,
llegando a ser semejante a él en su muerte,
11 si en alguna manera llegase a la resurrección de entre los muertos.
12 No que lo haya alcanzado ya,
ni que ya sea perfecto;
sino que prosigo,
por ver si logro asir aquello
para lo cual fui también asido por Cristo Jesús.

A.

B.

C.

II. ______________________________

13 Hermanos,
yo mismo no pretendo haberlo ya alcanzado;
pero una cosa hago:
olvidando ciertamente lo que queda atrás,
y extendiéndome a lo que está delante,
14 prosigo a la meta,
al premio del supremo llamamiento de Dios en Cristo Jesús.

A.

B.

C.

III. ______________________________

15 Así que, todos los que somos perfectos,
esto mismo sintamos;
y si otra cosa sentís,
esto también os lo revelará Dios.
16 Pero en aquello a que hemos llegado,
sigamos una misma regla,
sintamos una misma cosa.

A.

B.

C.

IV. ______________________________

17 Hermanos,
sed imitadores de mí,
y mirad a los que
así se conducen según el ejemplo
que tenéis en nosotros.

A.

B.

C.

Mientras que leyó por cada segmento ¿Qué palabras parecía importantes? ¿Qué ideas, frases, o verbos son enfatizados que se tiene que explicar?

Un ejemplo de cómo bosquejar un mensaje exegético de un bosquejo general del texto

1 Tes 1:1-10

1:1 Pablo, Silvano y Timoteo, a la iglesia de los tesalonicenses en Dios Padre
y en el Señor Jesucristo:
Gracia y paz sean a vosotros, de Dios nuestro Padre
y del Señor Jesucristo.
1:2 Damos siempre gracias a Dios por todos vosotros,
haciendo memoria de vosotros en nuestras oraciones,
1:3 acordándonos sin cesar delante del Dios y Padre nuestro
de la obra de vuestra fe,
del trabajo de vuestro amor
y de vuestra constancia en la esperanza en nuestro Señor Jesucristo.
1:4 Porque conocemos, ... vuestra elección; hermanos amados de Dios,
1:5 pues nuestro evangelio no llegó a vosotros en palabras solamente,
sino también en poder,
en el Espíritu Santo
y en plena certidumbre,
como bien sabéis cuáles fuimos entre vosotros
por amor de vosotros.
1:6 Y vosotros vinisteis a ser imitadores de nosotros
y del Señor,
recibiendo la palabra en medio de gran tribulación,
con gozo del Espíritu Santo,
1:7 de tal manera que habéis sido ejemplo a todos los de Macedonia
y de Acaya que han creído.
1:8 Porque partiendo de vosotros ha sido divulgada la palabra del Señor,
no sólo en Macedonia y Acaya,
sino que también en todo lugar vuestra fe en Dios se ha extendido,
de modo que nosotros no tenemos necesidad de hablar
nada;
1:9 Porque ellos mismos cuentan de nosotros la manera en que nos recibisteis,
y cómo os convertisteis de los ídolos a Dios,
para servir al Dios vivo y verdadero,
1:10 y esperar de los cielos a su Hijo,
al cual resucitó de los muertos,
a Jesús,
quien nos libra de la ira venidera.

Bosquejos del pasaje

- Después de hacer la Estructura General puede poner el pasaje en forma de bosquejo para ver lo que el autor está diciendo, y cómo se relacionan las partes.
- El bosquejo le ayuda a pensar en las relaciones gramaticales y lógicas de un pasaje.
- Los puntos principales llegan a ser las divisiones principales de la Estructura General. Luego los sub-puntos son las estructuras debajo de las ideas principales del texto.

- Comience con las divisiones mayores. Luego analice las divisiones para ver si hay subdivisiones.
- La forma del bosquejo debe seguir el siguiente orden:

I. (Para puntos principales)
  A. (Para puntos dependientes)
    1. (Para sub-puntos)

Tarea:

1. Identifique cada parte del siguiente bosquejo con las porciones del texto de 1 Tesalonicenses 1.
2. Ampliarlo, modificarlo, o cambiar las sugerencias en la forma que Usted ve el texto. Venga a clase para presentar sus conclusiones.

La oración de Pablo (1 Tes. 1)

I. Tres fundamentos de una fe establecida (1:2-3)

A. Una obra de fe.

B. Un trabajo de amor.

C. Una constancia de esperanza.

II. Mensajeros de la salvación (v. 4-7)

A. El poder de compartir.

B. El sacrificio de amar.

C. El ejemplo del Señor.

III. La expansión de la fe (v. 8-10)

A. El convencido no deja de hablar de la Palabra.

B. El convertido busca cómo servir a Dios por gratitud y esperar a Jesús.

Cómo observar y estudiar palabras o frases claves e importantes

Las palabras claves y frases le permitan descubrir la lógica del argumento del autor y como están fluyendo las ideas. Esto revela el intento del mensaje o propósito del autor. No debe ser frustrado en este punto del estudio. Cada palabra tiene su sentido adentro de un contexto. A veces la misma palabra puede tener un sentido diferente en otro contexto.

¿Sabe que es *esposas*? (pueden ser mujeres o el medio de atar un criminal). Siempre el contexto determinará cual es correcto. No puede saber lo que una palabra significa hasta que sea usada en una oración. Así el contexto determina la definición de una palabra. Siempre pregunta, ¿qué quiere decir el autor por el uso de sus palabras?

Otro ejemplo de la importancia de entender el sentido en el contexto:
La palabra "*deseo*" en 1 Tim 3:1 es el primer requisito para ser un "obispo" o "pastor", pero esta palabra puede significar "deseo de la carne" (Ef 2:3; Gá 5:24). Es una motivación emocional muy fuerte. El contexto determina si es una motivación buena o mala.

¿Cuántos usos de la palabra "conocer" en nuestro pasaje de estudio (Fil 3:10) puede pensar?

¿Qué es una palabra clave?

1. Las palabras claves pueden ser identificadas porque son **repetidas**.
2. Las palabras claves son **esenciales al entendimiento** del texto y si las quita del versículo, el pasaje pierde su sentido. Se tiene que definir para entender lo que el autor estaba diciendo.
3. Las palabras claves pueden incluir **pronombres, sinónimas, o frases**.
4. Las palabras claves ofrecen **entendimiento especial en el tema** de la oración (normalmente nombres y adjetivos/adverbios).
5. Las palabras claves son **esenciales en describir el resumen** de un párrafo.

Del Bosquejo General abajo haga un círculo alrededor de las palabras claves, especialmente las palabras que Ud. piensa necesario examinar su definición más profundamente. Luego haga un cuadro alrededor de los verbos que Ud. piensa necesarios para examinar con más cuidado para ver si tiene un sentido más amplio que la palabra en castellano.

Filipenses 3:10-17

10 a fin de conocerle,
y el poder de su resurrección,
y la participación de sus padecimientos,
llegando a ser semejante a él en su muerte,
11 si en alguna manera llegase a la resurrección de entre los muertos.
12 No que lo haya alcanzado ya,
ni que ya sea perfecto;
sino que prosigo,
por ver si logro asir aquello
para lo cual fui también asido por Cristo Jesús.

13 Hermanos,
yo mismo no pretendo haberlo ya alcanzado;
pero una cosa hago:
olvidando ciertamente lo que queda atrás,
y extendiéndome a lo que está delante,
14 prosigo a la meta,
al premio del supremo llamamiento de Dios en Cristo Jesús.
15 Así que, todos los que somos perfectos,
esto mismo sintamos;
y si otra cosa sentís,
esto también os lo revelará Dios.
16 Pero en aquello a que hemos llegado,
sigamos una misma regla,
sintamos una misma cosa.
17 Hermanos,
sed imitadores de mí,
y mirad a los que
así se conducen según el ejemplo
que tenéis en nosotros.

Haga la lista de las palabras que va a estudiar más para su sentido más amplio:

1. "conocer" –
2. "poder" –
3.
4.
5.
6.
7.
8.
9.
10.
11.
12.
13.
14.
15.
16.
17.
18.
19.
20.

No olvide de examinar la palabra "perfectos" (3:15). Esta palabra tiene mucha influencia en otros versículos en el NT.

Vea a Apéndice H para más ayuda en ubicar las definiciones.

Para algunas palabras es posible que quiera hacer un estudio más profundo que buscar la definición básica. En la página siguiente hay un gráfico que se usa para recordar sus hallazgos.

Cómo encontrar el significado de una palabra

- Interprete una palabra a la luz de su **CONTEXTO**.
  En el diccionario la palabra "tierra" tiene 14 definiciones. Cada una está *determinada por su contexto.*

- Interprete una palabra en su **SENTIDO NORMAL, NATURAL e HISTÓRICO.**

- Interprete las palabras de acuerdo a la **GRAMÁTICA CORRECTA**.

  - La forma es importante: singular/plural (se refiere a toda la iglesia); masculino/femenino .
  - Palabras de acción: los verbos, gerundios y sus tiempos.
  - Los sujetos y complementos directos.
  - Las palabras que describen algo o la acción del verbo o una característica de un sustantivo (adverbios o adjetivos).
  - Nexos o conjunciones.
  - El uso del artículo definido, o la falta del uso.

  1 Corintios 11:27: "*indignamente*" es adverbio, no adjetivo. ¿Qué significa la diferencia?
  Mateo 16:18: "roca," ¿masculino o femenino?¿Qué modifica a qué?

- Interprete una palabra **CONFORME A SU TIEMPO CULTURAL**

  - 1 Corintios 11:5

- Interprete las palabras conforme a los **PROPÓSITOS y PLAN DEL AUTOR**

  - Juan 20:30-31 (con 4:54) ¿Qué es una ***señal***? ¿Cuál es su propósito?

Cómo encontrar la definición de una palabra

- Encuéntrela en un buen diccionario, como el Diccionario VINE, "*Diccionario expositivo de palabras del Nuevo Testamento*".
  1 Pedro 2:9 "escogido"
- Estúdiela en un diccionario bíblico.
- Estúdiela en libros que den el sentido del griego.
- Compárela con otras traducciones.

La formularia para un estudio de palabras

<table>
<tr><td>1. Palabra:</td><td rowspan="3">3. Comparar traducciones:</td></tr>
<tr><td>2. Definición básica:</td></tr>
<tr><td>4. Palabra original (Griego o Hebreo) y definiciones del léxico básico(s):</td></tr>
<tr><td colspan="2">5. Ocurrencias en la Biblia:</td></tr>
<tr><td colspan="2">6. Etimología o sentido de la raíz de la palabra original:</td></tr>
<tr><td colspan="2">7. Uso bíblico:</td></tr>
<tr><td colspan="2">8. La aplicación o evaluación del sentido en este contexto:</td></tr>
</table>

¿Qué más debe examinar en un texto?

Términos de "conclusión, razones o resultados de algo" mencionado previamente. La clave para captar el sentido del texto (en el contexto) son los **nexos**, como hemos hablado (por ejemplo, "*pero, y, o, sino que, por esto, por tanto, así que, ya que, porque, pues, a fin de que,*" etc.).

Cada vez que una de estas expresiones aparezca se tiene que examinar bien el contexto para ver la razón por la explicación que sigue.

Ejemplo: "***Porque*** *Esdras había preparado su corazón para inquirir la ley de Jehová y para cumplirla, y para enseñar en Israel sus estatutos y decretos*" (Esdras 7:10). ¿Qué fue la razón que motivó a Esdras a estudiar la Palabra tan profundamente? Tiene que examinar el contexto.

La estructura de la gramática se llama el **análisis léxico-sintáctico**:

1. Verbos:
    a. Nota el **tiempo del verbo** en el original (Griego sería presente, imperfecto, aoristo, futuro, perfecto, subjuntivo, etc.) y
    b. **el número del verbo** (plural o singular) y
    c. **la voz del verbo** (activo, reflexivo, o pasivo)
    d. **el modo del verbo** (activo, imperativo, subjuntivo).
2. **Relaciones entre sustantivos y pronombres y antecedentes**
3. **Adverbios y adjetivos:** Adjetivos modifican sustantivos o nombres, mientras que adverbios modifican la acción del verbo. Suena fácil pero a veces se pasa por alto, por ejemplo, en el versículo siguiente:

    Así, pues, todas las veces que comiereis este pan, y bebiereis esta copa, la muerte del Señor anunciáis hasta que él venga. 27 De manera que cualquiera que comiere este pan o bebiere esta copa del Señor ***indignamente****, será culpado del cuerpo y de la sangre del Señor.* (1Co 11:26)

    ¿Es **adjetivo** (que modifica el sujeto o actor – la condición del participan) o es **adverbio** (que modifica la manera de la acción o cómo debe tomar la cena). ¿Qué diferencia habrá en la aplicación?

    Nota: las palabras que terminan en –mente son adverbios. Describan la manera de la acción, no el carácter del sujeto o participan. ¿Cómo interprete 1 Cor 11:29 en la luz de este adverbio?

4. **Técnicas literarias o modismos.** El autor va a usar diferentes técnicas para llamar la atención a lo que él piensa importante. Cuando interpretamos la Biblia literalmente no implica que ignoremos lo que es obviamente un modismo. Errores en entendimiento bíblico pueden ocurrir cuando los modismos o exageraciones se entiendan literalmente, en vez de entenderlos como ilustraciones. Los siguientes son las diez técnicas más comunes en el uso de modismos:

a. **Comparaciones**: la asociación de cosas similares: compararlas a verdades bíblicas para aclarar un concepto.
   i. **Símiles** (Latino: *similis*, "similar, como"). Es la comparación de dos o más cosas no similares usando una palabra "como" o "semejante":
   *"Venid luego, dice Jehová, y estemos a cuenta: si vuestros pecados fueren **como** la grana, **como** la nieve serán emblanquecidos; si fueren rojos **como** el carmesí, vendrán a ser **como** blanca lana."* (Isa 1:18).

b. **Metáforas**: son imagines que sugieren similitudes de dos ideas diferentes, sin implicar que sean idénticas. La Biblia usa muchos metáforas como maneras de ilustrar aspectos de sus enseñanzas. Jesús dijo "Yo soy la puerta" (Jn 10:9); "Yo soy la luz del mundo" (Jn 9:5).

c. **Contrastes**: La asociación de cosas opuestas para enfatizar o comparar las diferencias. A veces si no reconoce el intento del autor para hacer un contraste, se puede llegar a una conclusión errónea como en el caso de Ef 5:18- *"No os embriaguéis con vino, en lo cual hay disolución; **antes bien** sed llenos del Espíritu"* (Ef 5:18).

   Vea Salmos 1 para un contraste entre una persona piadosa y una persona mala.

d. **Repetición o progresión de palabras**, ideas o frases por repetirlo vez tras vez como en Salmos 136 el autor repita la frase, *"Porque para siempre es su misericordia"* (Sal 136:1).

e. **Advertencias o mandamientos.** Típicamente las exhortaciones hacia la obediencia siguen los pasajes de la enseñanza de doctrinas, y llegan a ser los puntos implícitos de acciones prácticas para el creyente obediente. La gran falla de la iglesia ha sido la falta de enseñar todos los mandamientos o imperativos en el NT. Hemos enfocado más en la doctrina correcta que en la obediencia específica a los mandamientos.

   *"Por tanto, velad, acordándoos que por tres años, de noche y de día, no he cesado de **amonestar** con lágrimas a cada uno"* (Hch 20:31)

f. **Razones**: una explicación o justificación para una decisión, mandamiento, acción tomada, etc. Si el autor siente que sus ideas, conceptos o términos no están claros, tomará espacio en sus escritos para explicarlo o demostrar desde el AT lo que él está diciendo.
   "Porque si Abraham fue justificado por las obras, tiene de qué gloriarse, pero no para con Dios" (Rom 4:2)

g. **Preguntas**: El autor puede excluir un problema por hacer una pregunta en el texto que el lector puede estar pensando o puede ser que esté contestando una pregunta ya hecha en una carta a él como en 1 Corintios. Pablo está contestando una serie de preguntas de una carta escrito a él. A veces las preguntas son la marca de introducción a una nueva tópica:

¿Qué, pues, diremos que halló Abraham, nuestro padre según la carne? (Rom 4:1)

h. **Dichos de énfasis**: Son declaraciones de emoción o a veces exageración para enfatizar un punto. Esto fue muy común en 1 Corintios y en las enseñanzas de Jesús.
"Ya estáis saciados, ya estáis ricos, sin nosotros reináis. ¡Y ojalá reinaseis, para que nosotros reinásemos también juntamente con vosotros!" (1Co 4:8)

i. **Causa y efecto**: La relación de sembrar y cosechar tiene muchas aplicaciones para comunicar la prioridad de la obediencia y la consecuencia de doctrina correcta.
*"No os engañéis; Dios no puede ser burlado: pues todo lo que el hombre sembrare, **eso** también segará"* (Gal 6:7)
*"No desecho la gracia de Dios; **pues si** por la ley fuese la justicia, **entonces** por demás murió Cristo"* (Gal 2:21)

j. **Generalizaciones**: El autor puede usar una serie de observaciones o conceptos que le llevan a una conclusión o principio basado en estas verdades. Esto es una discusión inductiva.
En Romanos 8 Pablo edifica su enseñanza sobre el Espíritu Santo obrando efectivamente en nosotros con esta conclusión: *¿Qué, pues, diremos a esto? Si Dios es por nosotros, ¿quién contra nosotros?* (Rom 8:31).

k. **Particularización**: Esta técnica es el opuesto de generalización: el Autor hace una declaración inclusiva, luego presenta detalles o ilustraciones para soportar su conclusión como en Mateo 6:1-17.
Si hacemos cosas espirituales (ilustrado por orar en público, ayunar, repartir) para ser visto de los hombre o apreciado por los hombres, entonces no habrá recompensa en el cielo.

Ahora escriba cualquier modismo que encuentra en nuestro texto (Fil 3:10-17)

1.

2.

3.

4.

¿Puede contestar estas preguntas de su estudio del texto hasta ahora?

1. ¿Cuál carácter de Dios fue muy atractivo a Pablo?
2. ¿Qué poder buscaba Pablo?
3. ¿Qué tipo de comunión tenía Pablo con Cristo?
4. ¿Cuál era la opinión de Pablo en cuanto a su perfección personal?
5. En el contexto, ¿qué fue lo que Pablo se olvidaba? ¿por qué?
6. ¿Qué sería la definición de la persona "perfecta" en este pasaje?
7. ¿Cómo definiría este "ejemplo"?

Si hemos hecho las Observaciones correctamente, han provocado muchas preguntas para contestar en el próximo paso del estudio inductivo, la interpretación.

Si quiere practicar más en cómo hacer un Bosquejo General puede usar los siguientes pasajes. Intenta cumplirlo lo más rápidamente posible. Identifique las palabras claves para investigar y escriba un bosquejo exegético de los puntos resaltantes.

Pasaje de práctica: Filipenses 4:15-19
4:15 *Y sabéis también vosotros, oh filipenses, que al principio de la predicación del evangelio, cuando partí de Macedonia, ninguna iglesia participó conmigo en razón de dar y recibir, sino vosotros solos; 16 pues aun a Tesalónica me enviasteis una y otra vez para mis necesidades. 17 No es que busque dádivas, sino que busco fruto que abunde en vuestra cuenta. 18 Pero todo lo he recibido, y tengo abundancia; estoy lleno, habiendo recibido de Epafrodito lo que enviasteis; olor fragante, sacrificio acepto, agradable a Dios. 19 Mi Dios, pues, suplirá todo lo que os falta conforme a sus riquezas en gloria en Cristo Jesús.*

Práctica extra: Gálatas 3:21-27

Gálatas 3:21-27 *¿Luego la ley es contraria a las promesas de Dios? En ninguna manera; porque si la ley dada pudiera vivificar, la justicia fuera verdaderamente por la ley. 22 Mas la Escritura lo encerró todo bajo pecado, para que la promesa que es por la fe en Jesucristo fuese dada a los creyentes. 23 Pero antes que viniese la fe, estábamos confinados bajo la ley, encerrados para aquella fe que iba a ser revelada. 24 De manera que la ley ha sido nuestro ayo, para llevarnos a Cristo, a fin de que fuésemos justificados por la fe. 25 Pero venida la fe, ya no estamos bajo ayo, 26 pues todos sois hijos de Dios por la fe en Cristo Jesús; 27 porque todos los que habéis sido bautizados en Cristo, de Cristo estáis revestidos.*

La INTERPRETACIÓN

Enfoque: ¿Qué significa todo lo que hemos visto?

Solamente después de determinar lo que un pasaje dice, podemos usar las herramientas para interpretar lo que significa. ¿Qué significan todas estas verdades?

En una clase cuando el profesor pregunta, "¿Alguien tiene algunas preguntas?" y no hay respuestas, el profesor puede deducir que su presentación fue tan clara que todo mundo le entendió, o su presentación fue tan complejo que los estudiantes se confundieron y no saben qué preguntas hacer.

El orgullo puede impedir hacer preguntas. Jesús dijo que debemos venir a Él como niños (Mat 18:3), quienes siempre están haciendo preguntas. En una presentación típica de policía el inspector dice, "Yo soy con la FBI. Quiero hacerle algunas preguntas." El investigador bíblica quiere ver la relación entre la evidencia de la observación, la reconstrucción de los eventos y el significado que el autor intentó comunicar.

Estamos enterado en el tema cuando comenzamos a hacer preguntas: ¿Qué significó originalmente este pasaje? Aprenderemos ciertos principios que nos capacitaremos a interpretar correctamente y evitar malas interpretaciones. Esto es lo que los escolares bíblicos llaman *hermenéutica.*

En la mitología Griega, Hermes era el mensajero de los dioses. En el NT, la palabra Griega *hermeneia* es traducida "interpretación o traducción" (1 Cor 12:10), que viene a Castellano de la palabra Latín *interpres,* con el sentido "vaya-entre" o "intermediar".

"Hay una sola interpretación, pero muchas aplicaciones"

"El primer propósito de la interpretación es descubrir lo que el autor quiso decir por lo que dijo, para descubrir su propósito y mensaje. Hay que ponerse en su lugar y capturar sus pensamientos, actitudes y emociones. Se debe tratar de recrear en su mente las experiencias del autor para descubrir por qué escribió el contenido en la situación histórica para un propósito específico. También se debe tratar de entender la gente para quién él estaba escribiendo." (de el libro "*El gozo de descubrir*" por Oletta Wald, p. 41).

Dr. Howard Hendricks del Seminario Teológico de Dallas dijo:

El "significado" (del pasaje de la Escritura) no es nuestros pensamientos subjetivos que leemos en el texto, pero la verdad objetiva que leemos del texto. Como alguien bien ha dicho, "La tarea del estudio bíblico es pensar los pensamientos de Dios según Él." El milagro es que Él usó autores humanos para hacerlo. Comunicando por medio de sus personalidades, sus circunstancias, y sus preocupaciones, el Espíritu Santo sobrevisto el escrito de un documento. Y cada uno de los autores humanos – los co-autores con Dios, se puede decir – tuvo un mensaje específico en su mente mientras que él recordaba su porción de las Escrituras. Esto es porque me gusta referirse al paso de la interpretación como el proceso de la recreación. Estamos intentando a pararnos en los zapatos del autor y recrear sus experiencias – pensar cómo él pensaba, sentir cómo él sentía, y decidir cómo él decidía. Nos preguntamos, "¿Qué significó esto a él? antes de preguntar, ¿Qué lo significa a nosotros?"

Las tipas de preguntas sugeridas para investigar:

Definiciones: ¿Qué es la definición de este palabra o verbo?

Significado: ¿Cuál de las definiciones posibles mejor encaja aquí? ¿Qué significa el tiempo del verbo?

Implicaciones: ¿Cómo encaja este sentido con otros versículos similares?

Relaciones: ¿Qué es la relación entre palabras, frases, oraciones, etc.?

Progresiones: ¿Está escrito en forma inductiva o deductiva? ¿Concluye o edifica un argumento?

Hay tres propósitos para los cuales se debe hacer preguntas en el estudio:

1. *Abren la puerta del entendimiento.* Las preguntas son como una llave. Los niños ganan entendimiento en cantidades al hacer muchas preguntas. Los adultos pretenden ya saber todas las cosas para no preguntar más; ya somos más sofisticados. Creen que por hacer preguntas se muestran ignorantes. ¡Lástima! Porque así se aprende.

2. *Las preguntas evitan la opción de leer superficialmente.*

3. *Las preguntas le motivan a uno a resolver el problema o encontrar la respuesta.* Cuando hay que buscar alguna respuesta es cuando uno aprende por sí mismo. Este es el tipo de aprendizaje más valioso.

Las preguntas sacan a la superficie lo que no es tan evidente a primera vista.

Hay seis palabras que nos ayudan a ganar más entendimiento en el pasaje:

¿Quién?

¿Dónde?

¿Cuándo?

¿Qué?

¿Por qué?

¿Cómo?

Paso uno de la Interpretación:
Las seis grandes preguntas

La interrogación de la Escritura

Cuando está estudiando un pasaje de la Biblia, y llega a un tema, frase, tópica, idea, o palabra que no entiende, siempre hace la pregunta, "¿Qué es que significa?" Pero *primeramente* tenemos que aprender lo que el autor quiso decir, *luego* lo que significa para nosotros ahora.

Cuatro preguntas primeras: (quién, dónde, cuándo, y cómo) son enfocado en detalles, aunque no todos los versículos tendría necesidad de estas preguntas, ni sus respuestas. Estos versículos se llama las **Cuatro Preguntas Subordinadas** (Traina, pp. 109-110).

¿Quién?

Los personajes involucrados en una historia o exhortación pueden identificarse como si se aplicara el texto a la actualidad. A veces tiene que deducir una descripción de las personas por las exhortaciones o descripciones dadas por el autor.

- ¿Quién está escribiendo? ¿A quién y acerca de quién está hablando?
- ¿Quién es el carácter principal? ¿Quién está mencionado en el Libro? ¿Qué sabemos de ellos? ¿Por qué ellos están mencionado?
- ¿Quiénes son los lectores?
- Del texto ¿qué puede ver de las preocupaciones del autor/lectores, sus preguntas, emociones, características, convicciones, fuertes y debilidades?
- ¿A quién está dirigido el texto? ¿Solamente a los del primer siglo o a nosotros también?
- ¿Quién era "Rufus" en Romanos 16:13? ¿Existe una historia aquí?

¿Dónde?

Tiene que ubicar en un mapa los lugares históricos debido a que se relacionan con la cultura e historia de la región.

- ¿Dónde ocurrieron (o ocurrirá) estos eventos? (¿Por qué? ¿Cuándo?) ¿Dónde fue dicho/escrito el Libro? ¿Dónde estuvo el autor cuando escribió este Libro?
- ¿Por qué es importante este lugar? ¿Existe algo especial o histórico con respecto a este lugar para el sentido de este pasaje?
- En Fil 4:16 Pablo hizo una referencia a un período diez años antes cuando él recibió dos donaciones de la iglesia en Filipo dentro de un período de 5-6 semanas. Las dos ciudades están separadas por 100 km (60 millas), que representa un caminata de 3-días en cada dirección. Este concepto geográfico añade valor a su ofrenda a su ofrenda para Pablo.

¿Cuándo?

El elemento de tiempo es importante porque se relaciona con la cultura e historia de un tiempo específico. Muchas veces, para entender el pasaje, es necesario que entienda primero el tiempo Las referencias a eventos históricos y los tiempos de los verbos son indicadores de cuándo fue escrito el texto.

- Estas preguntas tiende de buscar cualquier cosa significante acerca del tiempo cuando el Libro fue escrito que puede ser relacionado con el mensaje del pasaje.
- ¿Cuándo fue escrito? ¿Cómo está correlacionado los otros eventos históricos al mismo tiempo?
- ¿Está mencionado el tiempo del día o mes o año? ¿Por qué?
- ¿Cuándo ocurrió la acción del verbo? La frase "después de estas cosas" demuestra la secuencia del tiempo. ¿Por qué es importante?

¿Cómo?

Tiene que notar cómo termina la historia y cómo el carácter de las personas y los eventos formaron el término de la historia. Note cómo las personas actuaron de manera ordinaria y común.
Se debe destacar la situación del autor. ¿Las circunstancias afectaron su actitud?

Lea con imaginación la historia tratando de crear figuras mentales. Trate de ver, sentir y oír, lo que las personas vieron, sintieron y oyeron.

- ¿Cómo ocurrió el acontecimiento del texto? ¿Existe algo providencial o secuencial?
- ¿Cómo está ilustrado o clarificado la verdad?
- Nicodemo preguntó, "¿Cómo puede hacerse esto? (Joh 3:9), y recibió su respuesta. Si no pregunta, ¡nunca sabrá!

Las últimas dos preguntas deben ser usadas constantemente.

Dos preguntas básicas:

¿Qué? **Esto es la pregunta de definición**

Tiene que notar el orden exacto y los detalles de los eventos, las acciones y las conversaciones en orden cronológico en el contexto histórico. Note cómo las personas se responden las unas a las otras.

- ¿Qué es el autor haciendo o qué es su condición?
- ¿Qué son los eventos principales del Libro? ¿Qué provocó el escrito del Libro?
- ¿Qué son las circunstancias? ¿Qué es la condición histórica/cultural, especialmente cómo está mencionado en el texto?
- ¿Qué es el tema del párrafo, el capítulo y el Libro entero?
- Haga preguntas de sentido: ¿Qué es el sentido de tal palabra, o el analogía, o el sentido del verbo o su definición en este contexto? ¿Qué significó al autor y sus lectores?
- ¿Qué es el significado de lo que hemos observado?
    - Las palabras repetidas, o frases, ideas, o temas
    - Palabras claves, verbos claves (especialmente los imperativos) y temas
    - Quién, Cuándo, Dónde, Cómo, y Por qué.
    - Nexos importantes (marcadores de divisiones mayores)
    - Preguntas y respuestas
    - Dichos enfáticos
    - Dichos de resumen
- Práctica: ¿Cuántas preguntas de ¿qué? puede formar desde nuestro pasaje Fil 3:10-17?

1.
2.
3.
4.
5.
6.
7.

¿Por qué? –¿La razón, propósito o resultado? Esto es la pregunta racional.

Observe mucho más que las palabras. Pregúntese por qué los eventos ocurrieron así. Esto es el más significado de todas las preguntas.

- ¿Por qué fue escrito este Libro/Carta? ¿Por qué usaron esta palabra aquí en vez de otra palabra con un sentido un poco diferente?
- ¿Por qué el autor lo dijo así o asá? ¿Existe una razón atrás del dicho o la acción?
- ¿Por qué las personas actuaron así? ¿Tenían alternativas para sus acciones?
- ¿Cuáles fueron las razones para sus acciones?

Recuerde: Dios da comida a los pájaros, pero Él no pone la comida en sus nidos! "*Considera lo que digo, y el Señor te dé entendimiento en todo*" (2Ti 2:7). Esto es un mandamiento con promesa.

¿Cuántas preguntas provoca este versículo en su mente?

1.
2.
3.
4.
5.

Alguien dijo, "Si Ud. no habla a su Biblia, su Biblia probablemente no hablará a Ud.!

¿Lea la Escritura como Dr. Watson o Sherlock Holmes?

Holmes:	"Dr. Watson, Ud. ve, pero Ud. no observa. La distinción es clara. Por ejemplo, Ud. a menudo ha viso las escaleras que pasa desde la aula abajo hasta este cuarto."
Watson:	"Sí, a menudo."
Holmes:	"Cuántas veces?"
Watson:	"Pues, cientos de veces."
Holmes:	"Entonces, ¿Cuántas pasos hay en la escaleras?"
Watson:	"¿Cuántas? No tengo idea."
Holmes:	"¡Precisamente mi punto! Ud. no ha observado. Sin embargo, Ud. ha visto. Esto es mi punto. Ahora, yo sé que hay diecisiete pasos, porque yo he visto y observado."

("A Scandal in Bohemia" in The Complete Sherlock Holmes. New York: Doubleday, 1927)

Los maestros de la Biblia ve el mismo texto que los demás, pero observan mucho más detalles llamativos. Así que los primeros dos pasos del estudio inductivo son reciclados ahora. Cuando hace las preguntas, se puede volver al paso de la observación para encontrar algunas respuestas, que a la vez puede provocar más preguntas. La profundidad de sus estudios depende en la preguntas que le ocurre y su disposición de encontrar las respuestas de sus propias preguntas.

Cuando hace preguntas debe concentrarse en cuatro áreas básicas:

1) ENTENDIMIENTO:
¿Qué significa este término o frase? ¿Qué quiso decir el autor por medio del uso de esta advertencia o mandamiento?

2) RAZONES:
¿Por qué usó el autor este término (en vez de otros, con el significado especial o con el tiempo del verbo)? ¿Por qué usó Jesús esta parábola en esta ocasión?

3) IMPLICACIONES:
¿Qué implica este término? ¿Frase? ¿Qué implica el uso de una pregunta aquí? ó ¿el orden de los eventos?

4) RELACIONES
¿Cuál es la relación entre las palabras? ¿frases? ¿versículos? ¿párrafos? Cuando se nota un contraste, se debe preguntar, ¿Por qué? Si nota alguna progresión hay que buscar una razón.

Técnica en el uso del gráfico de preguntas:

1) Escriba el versículo, oración por oración en cada renglón del gráfico.

2) Escriba las seis preguntas en la columna central dejando espacio para las contestaciones.

3) Escriba las preguntas que se le ocurran en la columna a la derecha para luego investigarlas.

El paso de INTERPRETACIÓN es básicamente la contestación de estas preguntas. Una vez que ha contestado una pregunta, no tiene que volver a escribirla o a repetir su investigación: Ya lo sabe, entonces está creciendo.

El Proceso de la interpretación

Paso Uno: **ORAR Y MEDITAR.**
- Mantenga el corazón abierto a lo que la Biblia diría.

Paso Dos: **DISCERNIR:** Algunas preguntas formuladas no tendrían mayor importancia como para responderlas. Preguntas que esperan un "sí" o un "no", normalmente no tienen mucho valor en el proceso de pensar en cuanto a la interpretación.

Paso Tres: **DEFINIR:** Palabras claves (Busque paralelismos, especialmente en el AT)
- Entre varias definiciones, escoja la definición que mejor sentido da al contexto.

Paso Cuatro: **COMPARAR:**
- Con concordancias, traducciones.

Paso Cinco: **INVESTIGAR:**
- Busque interpretaciones dentro de las Escrituras mismas.
- Analice otras referencias al mismo tema.
- El sentido de una palabra es profundamente influenciado por su contexto.

Paso Seis: **CONSULTAR**
- Influencias de la historia y la cultura.
- Geografía, Atlas
- Diccionarios Bíblicos
- Estudios de la cultura
- Comentarios

Paso Siete: **EVALUAR**
- Luchar con el texto para resolver dificultades y responder a las preguntas
- Pensar sobre alternativas, varias interpretaciones, pros y contras de cada una, el sentido en la cultura del lector original y la aplicación a nuestra cultura.
- Meditar sobre los principios y la implicación de aplicarlos a la vida cotidiana.
- Reflexionar sobre la sabiduría de Dios en Sus instrucciones.
- Concluir con una decisión de lo que dice el texto.

Paso Ocho: **RESUMIR:** "Parece que el *autor está diciendo...*"

Práctica: Desarrolle preguntas de nuestro texto de estudio para contestar

La meta es descubrir lo que el autor quiso decir mediante las palabras que usó; y el propósito de su mensaje, con el fin de aplicarlo correctamente para nosotros hoy en día.

10 a fin de conocerle,
y el poder de su resurrección,
y la participación de sus padecimientos,
llegando a ser semejante a él en su muerte,
11 si en alguna manera llegase a la resurrección de entre los muertos.
12 No que lo haya alcanzado ya,
ni que ya sea perfecto;
sino que prosigo,
por ver si logro asir aquello
para lo cual fui también asido por Cristo Jesús.
13 Hermanos,
yo mismo no pretendo haberlo ya alcanzado;
pero una cosa hago:
olvidando ciertamente lo que queda atrás,
y extendiéndome a lo que está delante,
14 prosigo a la meta,
al premio del supremo llamamiento de Dios en Cristo Jesús.
15 Así que, todos los que somos perfectos,
esto mismo sintamos;
y si otra cosa sentís,
esto también os lo revelará Dios.
16 Pero en aquello a que hemos llegado,
sigamos una misma regla,
sintamos una misma cosa.
17 Hermanos,
sed imitadores de mí,
y mirad a los que
así se conducen según el ejemplo
que tenéis en nosotros.

¿Quién?

¿Dónde?

¿Cuándo?

¿Cómo?

¿Qué?

¿Por qué?

Metodología de la interpretación

El puente entre la observación y la interpretación se construye HACIENDO PREGUNTAS.

- Muchas veces leemos superficialmente porque somos perezosos para pensar. Por esta razón aprovechamos tan poco de la lectura.
- Hay que motivar nuestro pensamiento al hecho de tomar en serio el significado de las palabras y las frases e identificar las herramientas necesarias para interpretarlas.
- Es esencial hacer preguntas para guiar las investigaciones y para aprender cómo dirigir un grupo de discusión.
- Aunque se sienta extraño por hacerse tantas preguntas o no ve la razón de ellas, sígalas haciendo porque verá que comprenderá toda la Biblia mediante su propio entendimiento.

Una razón para apatía en el estudio bíblico:

El problema más común: tener miedo de hacer preguntas que teme que no tiene una respuesta inmediatamente, o que ni va a poder contestar. Esto es precisamente la motivación para la investigación bíblica. El orgullo es matador al estudio bíblico en serio. Nunca tenga miedo de lo que va a descubrir en Su Palabra. Solamente tenga miedo que no va a querer escuchar de lo que ve.

RECORDAR SUS HALLAZGOS PARA COMPARTIRLOS CON OTROS
Y PONER EN PRACTICA LOS PRINCIPIOS ENCONTRADOS

Sugerencia: Siempre escriba sus preguntas, aunque no puede encontrar las repuestas. La profundidad de su enseñanza y predicación es medido por cuántas preguntas Ud. puede contestar.

Versículo	Observación	Pregunta

La puente hermenéutica

Uno quiere evitar llegar a una interpretación de la Escritura basado en su propia opinión, el consenso popular, intuición, un argumento persuasivo o aún lo que ha sido enseñado por un maestro respetado (que incluye un tipo de teología sistemática). A veces la parte más difícil de la interpretación es deshacerse de enseñanzas previas o errores en la interpretación aceptados sin darse cuenta.

La interpretación es el puente entre la observación y la aplicación. La interpretación correcta es no solamente posible, sino es esencial para no aplicar la enseñanza en error.

El primer puente **El segunda puente**

Preguntas de interpretación → **Meditación** →

I. Observación	II. Interpretación		III. Aplicación
A. El género literario B. "Los partes" C. Investigación del fondo 1. Info. de la historia/cultura 2. Contexto literario	A. El sentido original: identificar la(s) idea(s) del autor	B. Implicaciones para hoy: Relacionar el intento original al mundo cotidiano	A. "Nuevas cosas" para pensar o creer (cosmovisión) B. "Nuevas cosas" para hacer (actitudes y estilo de vida)

Tres pasos para interpretar la información compilada

Paso uno: Tenemos que encontrar las repuestas a las preguntas formadas.

Paso dos: Tenemos que resumir nuestra material efectivamente.

Paso tres: Tenemos que escribir de nuevo el pasaje para hacerlo claro y relevante en nuestro mundo cotidiano.

Esto nos obliga a usar las herramientas básicas para la investigación de un estudio bíblico.

Paso Uno: Para comenzar tiene que ponerse en el lado del puente con el autor original (izquierda) y sus lectores.

1. En 90 DC el autor quiso que su audiencia hiciera algo por una razón, propósito o resultado.
2. Usó palabras (estudios léxicos). Siempre busque las palabras claves y verbos en un diccionario en castellano, un léxico de la lengua original y un concordancia. Tenemos que entender el sentido de la palabra en la lengua original (no solamente en nuestra lengua).
3. Queremos averiguar el sentido original porque el autor y audiencia tenían este concepto en común (vea el contexto cultural y histórico de un Diccionario Bíblico).
4. La forma de las oraciones comprensibles por sus lectores (la gramática y sintaxis de las oraciones).
5. La forma de los párrafos llevando unidad de pensamiento (estilo) constante.

6. Examine el contexto inmediato (los 3-6 versículos anteriores) para explicar el contexto histórico y geográfico a su audiencia (use una Introducción de un comentario de un Libro específico). Ejemplo:

   En la historia del Buen Samaritano, "Un hombre descendía de Jerusalén a Jericó… (Lucas 10:30). El camino de Jerusalén a Jericó desciende de 835 metros arriba del nivel del mar en Jerusalén hacia 270 metros bajo el nivel del mar en Jericó. Esto es un deciento de 1,100 metros de diferencia en aproximadamente una caminata de 6 horas.

7. Conozca lo que los lectores deben hacer (conocimiento y propósito). Busque los imperativos y su sentido.

8. Los lectores deben obedecer los mandamientos (sentimiento, argumento y teología). Busque cómo las instrucciones se entendían por el lector original.

Recomendación: Sería mejor para su propio desarrollo si recurre a los comentarios solamente después de agotar todos sus propios estudios, principalmente para ver si hubo algo que haya visto y ver si sus conclusiones están de acuerdo con los comentarios.

Paso dos: Ahora mueve sobre el puente todo lo que se puede aplicar al mundo de hoy.

A. Nuestra tarea es primeramente entrar en el mundo de la audiencia del primer siglo y la mente del autor para determinar los que él quería decir por lo que él escribió y porque lo dijo, es decir, descubrir lo que él quiso que los lectores originales hagan.
   a. *Primeramente*: vuelve a la Estructura General creada en nuestra Observación del texto. Ponga un nombre de cada párrafo con un título creativo y fácil de recordar. Escriba o una oración breve (título declarativo) o un dicho tópico (frase breve).
   b. *Segunda*: Haga un bosquejo del pasaje y los párrafos, utilizando un gráfico como abajo:

      I. Título
         A. ________________
         B. ________________
      II. ________________
         etc.

   c. *Tercero*: Escriba de nuevo el pasaje por hacerlo interesante y contemporáneo. Primeramente esto requeriría empatía. Tenemos que volver a vivir la experiencia del autor/lector del primer siglo para llegar a compartir de la historia. Esto significa "sentir adentro". Este paso requiere imaginación santificada. ¿Puede imaginar morar en un hogar humilde donde Pablo estaba encadenado a un soldado Romano, mientras dependía de otros para suplir sus propias necesidades. En esta situación tenía que enseñar todo lo que Dios le estaba revelando.

      Luego tenemos que reconocer que el hombre no ha cambiado mucho, la cultura, comportamiento, el gustos y disgustos pueden variar, pero el hombre es esencialmente lo mismo en cada cultura todo el tiempo. Él ama, es egoísta, protege a sus hijos, tiene odio, miedo, frustración, y todavía puede responder a la revelación de Dios.

B. Ahora, tenemos que conceptualizar qué principio o propósito estaba atrás de sus instrucciones. (un principio es una verdad universal y aplicable a través del tiempo y la cultura – las verdades que jamás cambian).
C. En este proceso contestaremos la pregunta, "¿Por qué el Espíritu decidió archivar este en la Palabra eterna, aquí, en esta manera?"
D. Luego, preguntaremos, "¿Qué quiere decir el Espíritu a nuestro audiencia y cómo lo dice?
E. Finalmente, retrocederemos el proceso para poner el principio en palabras comprensibles a nuestra audiencia hoy en día.

El significado de estas distinciones tiene cuatro aspectos:

1. No tenemos ningún derecho a interpretar un pasaje hasta que hayamos observado con cuidad todo lo que dice.
2. No debe haber debates entre estudiantes sinceros de la Biblia en cuanto a lo que se observa que un pasaje está diciendo. Debe ser obvio.
3. Un pasaje jamás puede significar hoy lo que jamás significó cuando fue inspirado originalmente. Es decir, hay que sabe como los autores bíblicos creían que como el texto debería ser entendido.
4. Hay una sola interpretación correcta de cualquier pasaje de la Escritura, pero pueden haber varias aplicaciones diferentes, igualmente válidas de las verdades espirituales o principios que están en el pasaje.

A la verdad, no siempre vamos a estar de acuerdo en cuanto a lo que es aquella singular interpretación correcta – lo que el pasaje significaba --, pero tenemos que esforzarnos diligentemente intentando lograr la la meta. Cuando no estamos de acuerdo, que lo seamos agradables.

Aplicaremos el principio atribuido a Agustín: "En lo esencial, unidad, en lo no esencial, libertad, en toda las cosas, amor." Obviamente, la dificultad surge cuando no estemos de acuerdo en como definir "lo esencial" y "no esencial." En este momento necesitamos la aplicación de Ef 4:1-3, *"os ruego que andéis como es digno de la vocación con que fuisteis llamados, con toda humildad y mansedumbre, soportándoos con paciencia los unos a los otros en amor, solícitos en guardar la unidad del Espíritu en el vínculo de la paz."*

Dr. Roy Zuck, Dallas Theological Seminary, observa que:
"En los años recientes hemos observado un surge de interés en estudios bíblicos informales. Muchos grupos pequeños se reúnen semanalmente en casas o en iglesias para discutir lo que significa y cómo aplicarla. ¿Están siempre de acuerdo en estos grupos con el sentido del pasaje estudiado? No necesariamente. Algunos pueden decir, "Para mi este versículo significa esto," y otra persona, "A mí el versículo no significa eso; al contrario, significa esto." Estudiando la Biblia de esta manera, sin ninguna guía hermenéutica, puede resultar mucha confusión y interpretaciones que están en conflicto directo. ¿ Intentó Dios que la Biblia esté tratado así? Si puede hacer que la Biblia diga cualquier cosa, ¿cómo puede ser una guía confiable? ... "Se puede hacer que la Biblia diga lo que uno quiera," algunos dicen. Pero ¿Cuántas de las mismas personas dicen, "Ud. puede cambiar los escritos de Shakespeare"? Por

su puesto es verdad que se puede hacer que la Biblia diga cualquier cosa, mientras ignora las prácticas normales para el entendimiento de documentos escritos.
Cuando muchas personas estudian la Biblia, saltan de la observación (a veces superficial) a la aplicación, pasando por alto el paso esencial de la interpretación. Esto es equivocado porque la interpretación lógicamente sigue después de la observación. Al observar lo que la Biblia dice, se cuestiona; en la comprensión interna, se analiza; la observación es el descubrimiento; la interpretación es internalización. La observación busca lo que está en el texto y la interpretación comunica lo que significa. La primera es explorar, y la otra es explicar." (Roy B. Zuck, *Interpretación bíblica básica*).

Los principios básicos de la hermenéutica (la Interpretación)

Introducción: Hay dos métodos básicos de interpretación: el **método alegórico** y el **método literal** (es decir, histórico, gramático, lingüístico), a veces llamado el *método de dispensaciones* también.

El método alegórico fue introducido por los Judíos helenistas en la era pre-cristiana y luego fue seguido por los Cristianos bajo la influencia de las filosofías Platónica, especialmente alrededor de Egipto. Esta escuela enseña que debajo de cada versículo en la Biblia (es decir, atrás de lo obvio) es el sentido "real" del pasaje. Escondido en cada oración o dicho es un sentido simbólico espiritual.

Agustín en el quinto siglo usaba el método alegórico para escribir el esquemático para la Iglesia Católica Romana como la Ciudad de Dios, es decir, el reino de Dios en la tierra.

El método alegórico de interpretación fue rechazado inicialmente por los Reformadores. Lutero lo llamó una plaga. Calvino lo llamó Satánico. Luego algunos de los de la Reforma aprovecharon este método para probar su teología y su forma de interpretación de Apocalipsis. Este método es esencial para la teología del pacto y la interpretación del amilenio.

El Método literal acepta la forma literal de entender cada oración al menos que la naturaleza de una oración o frase o clausula dentro de una oración lo haga imposible a entender; es decir, modismos, formas simbólicas que obviamente no fueron escritas para ser tomadas literalmente.

Si el sentido literal de un pasaje encaja en el propósito original del mensaje del autor, entonces ningún otro sentido debe ser inventado. Cuando el autor del NT se refiere al AT, interpreta los pasajes literalmente. Los escritos de los primeros "Padres de la Iglesia" (Ignacio de Antioquía, Ireneo, y Justin Martyr) siempre indicaban que tomaban la Escritura en forma literal, al menos que el contexto indicara algo simbólico.

Las Cuatro categorías de las reglas de la interpretación:

Hay algunos principios que nos ayudarán a interpretar correctamente. Estos principios están derivados de la Escritura misma. No inventamos principios fuera de los límites de la Escritura para descubrir estas leyes y conceptos usados para determinar el sentido de la Escritura.

I. Los principios generales de la interpretación:

1. La Biblia se **interpreta a sí misma.**
   Génesis 3:1-5, Satanás usó **NEGACION** (3:1), **OMISIÓN** (3:4) y **ADICIÓN** (3:2)
   Isaías 7:14 con Mateo 1:23
   Gálatas 5:4 con Juan 10:27-29
   Todas las doctrinas son explicadas amplia y claramente, o en el contexto inmediato o en otra parte de la Biblia. **Un pasaje claro se tiene que usar para guiar nuestra interpretación de un pasaje menos claro** – no al contrario!

2. La Biblia **debe ser interpretado literalmente** por lo que dice claramente. Tomamos las cosas cada día tan literalmente como se ven. La regla de oro de la interpretación es "Cuando el sentido claro de la Escritura hace sentido común, no busca otro sentido." Tome cada palabra de la Escritura en su sentido usual y primario al menos que los hechos del contexto inmediata claramente indiquen lo contrario, especialmente en la luz de pasajes relacionados o verdades fundamentales.

3. Haga su interpretación desde el supuesto de que **la Biblia es AUTORITARIA** (Mateo 7:29; Juan 7:17)

4. La **fe salvadora y el Espíritu Santo** son necesarios para entender e interpretar la Biblia correctamente. Mateo 13:9, 15; 2 Corintios 4:4; 1 Corintios 2:14; 2:12; Juan 16:13.

5. Interprete la **experiencia personal en contexto a la Escritura**; no la Escritura en contexto a nuestra experiencia personal (Deuteronomio 18:22).

6. Los **ejemplos bíblicos son autoritarios** únicamente cuando son apoyados por un mandamiento (Sin embargo, tienen valor) (Juan 13:34-35)

   a. El ejemplo bíblico puede verificar lo que uno cree que el Señor está dirigiéndole a hacer.
   b. El ejemplo bíblico puede ser un recurso rico en la aplicación para su vida. Mr. 1:35 con 1 Tesalonicenses 5:17, Colosenses 3:16.

7. El propósito principal de la Biblia es **CAMBIAR NUESTRAS VIDAS**, no aumentar nuestro conocimiento.
   1 Corintios 10:6
   2 Pedro 1:4
   2 Tim 3:16-17

8. Cada creyente tiene el derecho y la **responsabilidad de investigar e interpretar** la Palabra de Dios por sí mismo.

Juan 5:39; 8:31
Col 3:16
2 Tim 2:15
Hechos 17:11

9. La **historia de la Iglesia es importante, pero no conclusiva** en la interpretación de la Escritura. La Iglesia no determina lo que la Biblia enseña, sino que la Biblia determina lo que la Iglesia enseña.

II. Principios de la gramática para la interpretación

10. La Biblia fue escrita originalmente en tres lenguas: Hebreo, Arameo y Griego. Aunque tenemos varias traducciones muy buenas en castellano, cada traducción inevitablemente incorpora cierta cantidad de interpretaciones de la opinión del traductor. Así, el estudio del sentido de una palabra, la gramática, y el sintaxis de la lengua original es importante para llegar a un entendimiento de cualquier pasaje de la Escritura. Esto no significa que cada estudiante de la Biblia se tiene que aprender Hebreo o Griego. Existen varias herramientas disponibles – léxicos, diccionarios bíblicos, y comentarios exegéticos, y el Internet – que pueden proveer un entendimiento profundo de pasajes cruciales.

11. La Escritura tiene **solamente un significado** y se lo debe tomar literalmente. Cada versículo en la Biblia tiene una sola interpretación, aunque el versículo puede tener varias aplicaciones. La sola interpretación correcto es lo que refleja el intento de autor inspirado.

    a. ¿Estoy indeciso de un pasaje porque no quiero obedecerlo literalmente?

    b. Estoy interpretando este pasaje figurativamente porque no encaja en mi esquema teológico?

12. Interprete las **palabras en armonía con su significado** según la época del autor. Siendo que el Espíritu Santo "inspiró" (2 Pe 1:21), o "movió, llevó, condujo" a todos los autores de la Biblia tal que ninguna parte de la Biblia contradice otra parte de la Biblia. El Cristiano presume la armonía e falta de errores en la Escritura como un resultado necesario de un Dios-Creador que se revela a sí mismo perfectamente a los hombres. La aplicación correcta de los principios de la hermenéutica resolverá conflictos aparentes.

    1. El uso que le dio el autor a la palabra.
    2. La relación con su contexto inmediato.
    3. El uso en el tiempo del autor.
    4. El significado de la etimología (su raíz).

13. Interprete una palabra **en relación con su frase y contexto**.
    La "fe" en Gálatas 1:23; Romanos 14:23; 1 Timoteo 5:11-12.
    La "sangre" en Hechos 17:24-26; Efesios 1:7; Hebreos 9:5-7; 1 Corintios 7:1

14. Interprete un **pasaje en armonía con su contexto.**
    D. A. Carson escribió, "Un texto sin un contexto es un pretexto". Esto refiere al abuso de un versículo solitario o frase tomado fuera de su contexto para "probar" un punto de vista. El contexto se refiere a las oraciones o párrafos acompañantes. La Palabra de Dios es una unidad perfecta. La palabra "texto" es derivado de la palabra Latín que significa "tejer." La Escritura no puede ser quebrantado; es entretejido perfectamente. Así, tenemos que considerar el versículo dentro del contexto de la Biblia entera, y luego el Testamento entero. La Biblia debe ser interpretada dentro de la infraestructura de la Biblia misma.
    La mayoría de las herejías son perversiones de alguna doctrina fundamental de la Biblia. Falsos maestros sacan versículos fuera de su contexto, manipulan las Escrituras, y fabrican doctrinas contrarias de la Palabra de Dios.

15. Cuando un objeto **inanimado se usa para describir algo vivo**, la frase puede ser considerada figurativa.
    Juan 6:35
    Juan 8:12
    Juan 10:7
    Salmos 92:12
    Salmos 51:7
    Mateo 26:26-28
    1 Co 11:23-26

16. Cuando una **expresión exagera el carácter de lo descrito**, la frase puede ser considerada como figurativa.
    Fil 3:2-3
    Lucas 13:32
    1 Pedro 5:8

    1. Una palabra no puede tener más que un sentido a la vez.
    2. Cuando es posible, un pasaje debe ser interpretado literalmente.

III. Los principios históricos de la interpretación

17. Siendo que la Escritura **se originó en un contexto histórico**, es necesario que se entender su historia bíblica. Por ejemplo, cuando Jesús es llamado las "primicias" (1 Co 15:20), podemos entender este título del Antiguo Testamento, pero un estudio de las prácticas religiosas de los Judíos en el primer siglo puede proveer un entendimiento más profundo de porque Pablo escogió *este* título en *este* pasaje, en vez de otro título con el mismo sentido de "primero."

    ¿Qué significó este pasaje a la gente que recibió esta carta?

    ¿Cómo fue los tiempos de aquel entonces?

    ¿Cuándo está ocurriendo?

    ¿Qué eran algunas influencias sociales y políticas sobre el autor y sobre los que recibieron la carta?

18. Aunque la revelación de Dios en la **Escritura es *progresiva***, cada Testamento es **parte indispensable** de esta revelación, y forman una unidad.
    La palabra de Dios se entiende desde la perspectiva del Antigua Testamento hacia el Nuevo Testamento como un flor abriendo sus pétalos. Dios inició la revelación, pero Él no hizo la revelación a la vez. Fue un proceso gradual y progresivo. En cualquier punto de tiempo tenemos que tomar en cuenta que era el estado actual de la revelación en el tiempo de escribir un texto específico para entender un pasaje específico. Por ejemplo, una interpretación de un pasaje en Génesis que presume un entendimiento del "Nuevo Pacto" es presuntivo. Como el dicho dice, "El Antiguo Testamento es el Nuevo Testamento escondido, y el Nuevo Testamento es el Antiguo Testamento revelado."

    Juan 3:14 con Números 21
    Hebreos

19. Los hechos históricos o eventos llegan a ser **símbolos de verdades espirituales únicamente si la Escritura así indica**.
    1 Corintios 10:1-4
    Gálatas 4:22-24
    Filemón

IV. Los principios teológicos de la interpretación

20. La Biblia debe ser **entendida primero gramaticalmente** *antes* de que se la pueda entender teológicamente
    Romanos 5:15-21
    Hebreos 10:26

21. No puede considerarse una doctrina como bíblica, si **no resume todo lo que la Biblia dice** al respecto.
    1. Estudie las palabras en paralelo con la concordancia.
    2. Estudie las ideas paralelas.
    3. Estudie las doctrinas paralelas.

    Razonamiento Inductivo: de las partes = la totalidad. Después de estudiar todo lo que la Biblia dice, entonces forme su conclusión.

22. Cuando hay dos doctrinas en la Biblia que **aparecen como contradictorias, acepte las dos** como bíblicas con la confianza de que se resolverán en una unidad más alta.

    1. La Trinidad.
    2. La naturaleza de Cristo.
    3. La soberanía de la elección de Dios y la responsabilidad de los hombres.

23. Una **enseñanza implícita en la Escritura puede ser considerada bíblica** cuando una comparación de los pasajes relacionados muestran la misma verdad.

EJERCICIOS:

1. ¿Cuántas referencias en 1 Tesalonicenses se refieren a la Segunda venida de Cristo? ¿Qué información revela cada versículo?

2. ¿Qué autoridad tiene el ejemplo de Pablo en 1 Tes. 2 en nuestro ministerio? ¿Por qué? ¿Qué indica específicamente?

Problemas prácticas de la interpretación:

Problema 1: Un líder famoso cristiano y autor enseñó que la manera de descubrir la voluntad de Dios para su vida es orar pidiendo que Dios le dé una paz perfecta acerca de una situación (por ejemplo, comprar un auto, casarse con una señorita, escoger una iglesia, dónde debe estudiar, qué ministerio debo entrar) o, si no es Su voluntad que le dé un espíritu de duda e incertidumbre del Espíritu. El único versículo usado para autorizar su argumento era Colosenses 3:15 ("Y la paz de Dios gobierne en vuestros corazones, a la que asimismo fuisteis llamados en un solo cuerpo; y sed agradecidos"). ¿Está Ud. de acuerdo con este aplicación o interpretación de este versículo? ¿Por qué?

Problema 2: Un creyente perdió su trabajo en un tiempo de recesión económica. El y su esposa interpretaron Romanos 8:28 ("Y sabemos que a los que aman a Dios, todas las cosas les ayudan a bien, esto es, a los que conforme a su propósito son llamados.") para significar que él perdió su trabajo porque Dios le iba a dar un trabajo con mejor salario. Por consecuencia, rehusó aceptar varias otras oportunidades de trabajo por más de dos años antes de volver a trabajar. Está de acuerdo con su manera de interpretar este versículo? ¿Por qué?

CORRELACIONAR

CÓMO ESTAR CONFIADO DE QUE SU INTERPRETACIÓN ESTÉ EN ARMONÍA CON EL RESTO DE LA ESCRITURA

Uno de los principios de interpretación es: "La Biblia se interpreta a sí misma". No debe tener una doctrina apoyada por un solo versículo, especialmente si otros pasajes son contrarios. Normalmente otros pasajes que tocan el mismo tema ayudan para dar más claro sentido. Tales referencias están en paralelo y se las encuentra en varias fuentes.

Es mejor empezar viendo el panorama del uso de una palabra, luego estudiar la palabra en su contexto y al fin su definición en un diccionario o léxico.

Ya hemos notado lo siguiente:

- **Advertencias**: Lo que debemos ser o hacer, no se deja de realizar.
- **Relaciones lógicas**: mandamientos, consejos, advertencias.
- **Causa y efectos**.
- **Nexos** que revelan razones, propósitos, resultados o condiciones.
- **Contrastes**, **comparaciones** e **ilustraciones**.
- **Repeticiones**, **listas**, **progresión** de pensamiento.
- La construcción de la **gramática**.
- El uso de **preguntas**.
- Las **reglas** de la interpretación.

Introducción a la correlación

Una vez que tenemos una conclusión o interpretación, tenemos que probar nuestros hallazgos por todos los medios posibles. Cuando un detective acusa a alguien de un crimen, él debe tener la evidencia. Así cuando alguien dice, "La Biblia dice..." debe estar seguro de lo dice.

Hay dos tipos de evidencia:

Verificación interna: La confirmación en el párrafo, sección y Libro que está estudiando. La verificación interna se puede extender por examinar todo lo que el mismo autor ha escrito sobre el tema o el uso de una palabra clave.

Comparación externa: La apariencia del mismo tema a través de todas las Escrituras, especialmente por autores distintos. Si es la verdad, no habrá contradicción en otras porciones de las Escrituras.

La justificación — tres cosas demandan la correlación

1. *La naturaleza de la revelación bíblica.* Dios se ha revelado a través de las Escrituras—Trilogía
    a. La Biblia es la verdad.
    b. Toda la verdad es coherente, correlacionada y consistente.
    c. Así que, la Biblia es coherente, correlacionada y consistente.

2. *La naturaleza de la hermenéutica bíblica*

Dos leyes en la hermenéutica bíblica la justifican:

1. La **ley de la integración**
   La Biblia no es una masa de materia aislada, sino un mensaje integrado para que el hombre llegue a conocer cómo es Dios y Su voluntad.
2. La **ley de la continuidad**
   Las Escrituras revelan las Escrituras: están relacionadas por (1) el contexto y (2) la comparación.

Desarrollar una teología bíblica.

Medio: ¿Cómo podemos hacerlo?

Investigue todas las otras Escrituras que se relacionan con el sujeto o idea.

- Las Escrituras mismas interpretan mejor las Escrituras.
- Toda la Escritura que se relaciona con algún tema tiene que ser considerada para discernir la verdad completa.
- Cualquier porción de la Escritura tiene que ser interpretada conforme a la Biblia en su totalidad.

¿Cómo?

1. Las referencias que están en el margen de la Biblia.
2. La Concordancia.
3. El estudio bíblico por tópicos.

El uso de gráficos de referencias

Texto	Significado

El uso de la Concordancia

- Busque cada referencia DENTRO del mismo libro.
- Busque cada referencia del AUTOR en el Nuevo Testamento.
- Busque cada referencia en TODO el NT y en el AT.

Ejemplo de una palabra usada por el apóstol Juan en su evangelio:

1. El uso de la palabra en el evangelio.
2. El uso en 1, 2, 3 Epístola de Juan y el Apocalipsis.
3. El uso en todo el Nuevo Testamento.
4. El uso en todo el Antiguo Testamento.

Ejemplo: "*principales*" ¿Quiénes son?

____

____

____

____

Texto	**Significado**
Juan 7:26	Los "principales" no creyeron en Cristo.
7:48	Nicodemo tenía miedo de hablar de su relación con Cristo.
12:42	Muchos "principales" creyeron, pero no lo dijeron por miedo; pues al hacerlo les echarían del templo.
Lucas 23:13	Relacionados con Pilato. Categorías: Sacerdotes y gobernantes.
23:35	Se burlaban de Jesús.
Hechos 3:17	Actuaron en "ignorancia" acerca de Jesús.
4:5,8	Dos categorías más: Ancianos y Escribas.
13:27	No conocieron ni a Jesús, ni a los Escribas.

Estudie el contexto

- Los versículos antes y después de nuestro texto se denominan por el "contexto inmediato"
- Los versículos del resto del libro, en todos los libros del autor y en todo el Testamento se denominan por el "contexto general".

Ejemplo de la importancia:

- Un error común al ignorar el contexto es: Santiago 2:17 en contradicción a Pablo en Ef.2:8 (Fe sin obras es muerta — Fe, sin obras, es vida o salvación) ¿Cómo resuelve el conflicto?

  a) En el contexto de Santiago el tema es la santificación (no la salvación), así que su énfasis recae en las acciones asociadas con una salvación genuina.
  b) En el contexto de los escritos de Pablo el énfasis es la salvación que se adquiere por fe, no por acciones de obras de mérito.

- Vea Juan 8:21 con Mateo 13:20-21.

Busque las DEFINICIONES de palabras claves

- Diccionario secular para la definición en castellano.
- Diccionario bíblico para las definiciones en la Biblia.

a) Los antecedentes de la palabra:

b) El uso en el AT (la traducción del AT en Griego es la Septuaginta o LXX), como en el NT. Muchas veces la palabra en el original (Hebreo o Griego) es traducida por otras palabras en castellano que no dan exactamente su sentido original. Es muy difícil que haya una palabra en otra lengua que comunique exactamente el mismo sentido de la lengua original. Por esto, las definiciones pueden resultar en una serie de palabras usadas según el contexto: "exhortar" es del griego, *parakaleo,* que es traducido "exhortar, consolar, alentar." El contexto determinará cual sentido es el más adecuado.

c) El uso histórico y otra información lingüística puede ayudar.
El uso de "consumado es" *tetelestai*, era usado como un comprobante de una cuenta pagada en un negocio. Las investigaciones arqueológicas encontraron cuentas canceladas con este vocablo.

Compare otras traducciones o paráfrasis

- La versión 1997 puede ser una ayuda.
- Es bueno hacer un gráfico para comparar las traducciones.

Consulte otros recursos

- Comentarios, mapas, descripciones de la cultura, etc.
- Descubra la HISTORIA del libro: ¿A quién fue escrito? ¿Por qué? ¿Cuáles son las faltas de los lectores? Un Diccionario Bíblico puede ser de mucha ayuda.
- Atlas bíblico: Localice cada pueblo, país o conjunto de agua en un mapa.
- Enciclopedias y comentarios.
- Investigue cada palabra clave en Vine, "Diccionario Expositivo de Palabras del NT"

Libros de tópicos:

- Muchos libros son escritos sobre tópicos como justificación, redención, salvación, el Espíritu Santo, etc.
- El beneficio es el entendimiento de la cultura e historia del pasaje o de una palabra o doctrina.
- El sentido del primer siglo puede ser diferente que nuestros conceptos en el siglo veinte. En Juan 10:33 algunos dicen que Jesús no enseñó que Él era Dios. Pero en el contexto los fariseos pensaban de otra forma.

Correlacione sus hallazgos

- Haga un bosquejo de lo que encontró. Sus apuntes pueden estar en tres hojas o más. Compile sus hallazgos en forma concisa y sistemática.
- Sugerencia: En los diccionarios bíblicos frecuentemente hay un excelente bosquejo para arreglar su material. Llene el bosquejo con su propio material.

Aplicación personal (introducido aquí)

- Es importante que se acuerde los pasos: Primero haga un estudio exhaustivo personal ANTES de que investigue lo que otros hombres enseñaron acerca del tema.
- No debe depender tanto de otros libros. Son recursos: No fundamentos. Tenemos que descubrir la Palabra en forma personal.

Aplicación

Enfoque: ¿Cómo puedo aplicar mis hallazgos a mi vida?

Sherlock Holmes, "Al contrario, Watson. Ud. puede ver todo. Sin embargo, Ud. falta a razonar de lo que ve. Ud. es demasiado tímido en extraer sus implicaciones." *La aventura del Carbunclo Azul.*

La aplicación es el paso del estudio bíblico más ignorado, sin embargo es lo más esencial. Es más fácil satisfacer su curiosidad acerca de la Biblia que buscar cómo cambiar su vida para conformarla a la Palabra de Dios. La aplicación se basa en la Interpretación correcta, edificada sobre la Observación completa. Dr. Howard Hendricks dijo, "La Interpretación sin la Aplicación es como un aborto." Cada vez que observa y interpreta, pero deja de aplicar, Ud. hace un aborto sobre la Escritura en términos de sus propósitos.

La meta del estudio bíblico es
No hacernos pecadores más inteligentes
Sino hacernos más como nuestro Salvador.

Guillermo Lincoln describió ciertas cualificaciones para hacer aplicaciones significativas:

1. El interprete debe tener una reverencia para la Palabra de Dios. Esto siempre revelará los motivos tal que "no hay cosa creada que no sea manifiesta en su presencia (He 4:13). El interprete primeramente tiene que ponerse bajo la luz de la Palabra de Dios.

2. El interprete tiene que aprender humildad, es decir, el compromiso sincero de ayudar a otros sin pensar en sí mismo. Él describa con honestidad y transparencia sus propias dificultades en la aplicación del texto a su vida.

3. El interprete tiene que ser motivado por amor Cristiano, que busca el beneficio de otros arriba de sus propias necesidades, así ganando la confianza de su audiencia. Solamente así ellos creerán lo que él dice que la Palabra significa para nosotros hoy.

La parte más ignorado de la Gran Comisión es "enseñándoles que guarden todas las cosas que os he mandado" (Mat 28:20). La mayoría de la enseñanza y predicación es con el objetivo de informar la gente de ciertas verdades, pero raramente hay un énfasis en los mandamientos que enseña a creyentes a obedecer mandamientos específicos. Esto es la razón que escribí *Siguiendo Su Senda*, que explica todos los mandamientos en el NT que tenemos que conocer y obedecer. (Vea a www.branchespublications.com para comprar una copia).

Cada iglesia debe establecer grupos de discípulos dispuestos a rendir cuenta para su obediencia, animándoles y apoyándoles los unos a los otros. Idealmente estos grupos sean de 12 miembros o menos para mantener la transparencia. Una lista de preguntas para rendir cuenta están incluido en Apéndice.

La dureza de corazón comience cuando conocemos lo que debemos hacer o cómo vivir a la luz de la Escritura, pero nuestro corazón postergamos tal compromiso o resistimos hacer cualquier cambio en nuestro estilo de vida. Jesús nos advirtió a los líderes Judaicos que meramente el conocimiento de la Biblia no es el fin y puede ser peligroso y un engaño de sí mismo.

"Escudriñad las Escrituras; porque a vosotros os parece que en ellas tenéis la vida eterna; y ellas son las que dan testimonio de mí" (Juan 5:39).

La meta del estudio bíblico es conocer la mente de Cristo, cómo Él piensa, lo qué Él quiere, y decidir adquirir la misma manera de pensar y tener los mismos valores.

"Haya, pues, en vosotros este sentir que hubo también en Cristo Jesús," (Fil 2:5 R60)
"La actitud de ustedes debe ser como la de Cristo Jesús," (Fil 2:5 NVI)

Alguien dijo, "Yo no puedo creer en la enseñanza de alguien, aunque cuando es la verdad, cuando no es obvio a mi que él está humildemente aplicando a su vida lo que él quiere persuadirme a seguir."

Dr. Roy Zuck explicó así:
"La apropiación del corazón, no meramente la comprensión intelectua, es la meta verdadera del estudio bíblico. Solamente en esta manera el creyente puede crecer espiritualmente. La madurez espiritual, en que llegamos a ser más como Cristo, viene no solamente por conocer más acerca de la Biblia. Viene por conocer más acerca de la Biblia y aplicándola a nuestras necesidades espirituales." (*Basic Bible Interpretation*).

El objetivo de la aplicación

El objetivo de la aplicación es identificada en 2 Tim 3:16, *"Toda la Escritura es inspirada por Dios, y útil para **enseñar, para redargüir, para corregir, para instruir** en justicia"* (2Ti 3:16). Estas son las herramientas para ayudar los unos a los otros hacer la aplicaciones:

Enseñar indica explicar lo que tenemos que obedecer en la Palabra. Es como un *brújula*, que nos apunte en la dirección correcta. (Dt 28:13, 14; Josué 1:7-9). Estamos obligados a encontrar lo que la Palabra de Dios dice de cualquier tema moral, aceptarlo como verdad, creerlo, adaptar nuestros conceptos a lo que dice y vivir según lo que aprendamos.

Redargüir nos muestra donde estamos equivocados. Cuando miremos en el espejo de la Palabra de Dios, vemos a nosotros mismos más claramente (Stg. 1:23-25). Lo que raramente es enseñado es como redargüir con éxito a otros sin destruirlos, y más importante, exponer el valor de cómo aceptar humildemente y aprender de regaño. El "necio" jamás aprende este secreto (Pr 15:5; 16:2).

Corrección nos muestra cómo vivir correctamente. Una vez que el comportamiento obediente se entiende y se acepte, entonces hay que tomar pasos específicos para asegurar la obediencia. Esto puede ser confesar y dejar lo que es una transgresión, pero a menudo requiere tener un compañero con quien puede rendir cuentas por pasos específicos a practicar. Si queremos ser obedientes estaremos dispuestos a permitir que alguien nos ayude a vivir en la luz de Su Palabra. No somos hechos para hacerlo solos. Esto es el valor del Cuerpo de Cristo, la iglesia.

Instruir en justicia desarrolla las disciplinas para vivir correctamente. Jesús nos mandó a "*enseñándoles que guarden todas las cosas que os he mandado*" (Mateo 28:20a), sin embargo pocos tiene un plan sistemático para enseñar los mandamientos del NT, que Jesús y Su Espíritu nos dio para formar discípulos. De todos los cursos enseñados en Institutos y Universidades Cristianas, no sé de un curso que explique los mandamientos.

La "instrucción" que transforma tiene que incluir:

- Enseñanzas
- Mandamientos
- Promesas
- Exhortaciones y admoniciones
- Advertencias
- Ejemplos de carácter bíblica y sus historias
- Relatos de cómo Dios ha tratado con los hombres en el pasado.

Autor Jerry Bridges escribió:
"Mientras que busque las Escrituras, tenemos que permitir que ellos nos examinen, para juzgar nuestro carácter y conducta."

Oswald Chambers escribió:
"Un paso adelante en la obediencia tiene más valor que años de estudio de la Biblia". Tenemos que tener cuidado no engañarnos a nosotros mismos. No conocemos la Biblia en realidad si no estamos obediente a ella.

"Y Samuel dijo: ¿Se complace Jehová tanto en los holocaustos y víctimas, como en que se obedezca a las palabras de Jehová? Ciertamente el obedecer es mejor que los sacrificios, y el prestar atención que la grosura de los carneros" (1Sa 15:22).

Cuando (cada vez) que leemos la Escritura, la cuestión que debemos preguntarnos es...

¿Cómo aplica a me el sentido de este texto?
No
¿Qué significa este versículo a mi?

Al leer la Palabra de Dios, nuestra primera pregunta debe ser, "¿Cómo entonces debo vivir hoy?" Si no tengo una respuesta, entonces mi estudio bíblico ha sido en vano.

Para ser más claro, el objetivo del estudio bíblico es programar de nuevo nuestro mente, valores, y convicciones como Pablo escribió, "*No os conforméis a este siglo, sino* ***transformaos por medio de la renovación de vuestro entendimiento****, para que comprobéis cuál sea la buena voluntad de Dios, agradable y perfecta*" (Ro 12:2)

Así que **la APLICACIÓN tiene tres partes:**

- Evaluación
- Aplicación
- Actualización

Requisitos para la aplicación

1) La reverencia para la Palabra

- No se debe usar para regañar, inculpar, vengarse desde el púlpito, ni humillar a la gente para que esté sumisa a la voluntad del predicador.
- Es una seria responsabilidad la de comunicar exactamente lo que Dios quiere que se comunique al creyente por medio de ciertos textos.

2) Humildad

- La convicción que las necesidades de otros son más importantes que las de uno mismo (Fil. 2:3-4)

3) Amor cristiano

- El cuidado y compromiso de cómo decir la verdad resulta en edificación verdadera.
- Si la audiencia siente y ha visto evidencia del amor y compromiso hacia ellos, estarán dispuestos y abiertos a escuchar todo el consejo de Dios para ellos. 2 Tim. 3:15

4) Relevancia del pasaje

- El pasaje es local o universal.
  ¿Era universal el principio de vender sus cosas y entregarlos a la iglesia como en Hechos 2?

- Temporal para el primer siglo o se aplica para siempre
  ¿Las mujeres deben guardar silencio para siempre en las iglesias y no enseñar a los hombres?

La evaluación

¿Cuál es el valor de la enseñanza bíblica para mis hallazgos?

El primer paso hacia la aplicación es entender lo que la Palabra de Dios dice sobre un tema por medo de la observación precisa y la interpretación correcta de un pasaje. Una vez que se entienda el intento del pasaje, tenemos que evaluar si el pasaje es aplicable a nosotros hoy. Los principios que vimos ¿son aplicable universalmente o solamente para un tiempo específico? ¿Son normativo o temporario?
Algunas sugerencias para la evaluación:

- ¿Cuál fue el propósito del autor? ¿Cumplió su propósito?
- ¿Para quién fue escrita esta porción de la Biblia?
- ¿Cuáles son las Verdades Generales (que se aplican a cualquier época) y cuáles son las verdades locales (que se aplican principalmente a cierta época)? Deut. 24:5; Mateo 10:1, 8-10
- ¿Cuál es la relación de las verdades que se encuentran en un pasaje con el mensaje general de la Biblia?
- ¿Es válida la traducción?
- ¿Está evaluando el pasaje objetiva y sinceramente?

Por medio de la interpretación llegamos al entendimiento de la verdad. Antes que la verdad pueda ser aplicada hay que evaluarla.

Proyecto:

Estudio: ¿Qué dice la Biblia de sí mismo con respecto a la aplicación?

Salmos 19	Salmos 119	Mateo 24:35	Juan 5:24
Juan 8:31,32	Juan 12:48	Juan 14:21-23	2 Timoteo 3:15-17
Hebreos 4:12, 13	Santiago 1:19-27		

Pensar: Meditar en las metáforas de las Escrituras (ejemplos: la lámpara, espejo, agua, espada, martillo, etc); provee sugerencias claves de su propósito. Escriba sus conclusiones.

La Aplicación

¿Qué significa la enseñanza bíblica para mi vida cotidiana?

Una vez que entiendo lo que la Biblia enseña, tengo que decidir de aceptarlo y ponerme de acuerdo con ella. Ahora la cuestión es ¿Qué tengo que hacer ahora? Esto puede incluir reconociendo áreas en mi pensamiento y comportamiento que no están conforme a la Palabra de Dios, especialmente en mi vida secreta o privada.

Tengo que decidir si quiero vivir por estos mandamientos, reglas y principios o no. Esta decisión es crucial en nuestra vida cristiana. O vamos a seguir la Palabra o seguir nuestra intuición, sentimientos, opiniones de lo que pensamos es correcto o mejor para mi. Esta decisión determina si creceremos espiritualmente o apagar el Espíritu en nuestras vidas.

La aplicación tiene que ser práctica:

Práctica: acción específica que va a practicar diariamente. Por ejemplo: "Voy a perdonar a cada persona que me ofende cada día y jamás permitir la amargura a entrar en mi pensamiento."

Medible: ¿Cuándo va a hacerlo cada día? Algunos mandamientos son reacciones, así que tendría que esperar que ocurre, pero se puede planear cómo va a responder a ciertas circunstancias cuando ocurre. "Cuando alguien me ofende, inmediatamente voy a perdonarles en mi espíritu y rehusar reaccionar o vengarme."

Posible: Tiene que ser una meta de obediencia que es alcanzable. "Cada día voy a orar por las personas en mis círculos de conocidos que más me ofende o que no me gusta. Voy a "saturar" mis relaciones con oración y pedir que el Señor cambia mi corazón." Esto requería un poco de disciplina y constancia. Además cuando comparte sus compromisos hacia estas acciones con alguien con quien se puede rendir cuentas para cumplimiento de acciones, es mucho más posible que logrará su meta. La prueba de su corazón y voluntad es ¿Realmente quiere obedecer todo lo que conoce de la Palabra de Dios? Si es afirmativo, uno tiene que tomar pasos para asegurar el cumplimiento.

Compártelo: Es indispensable que luchamos para obedecer un mandamiento a la vez y esto en compañía con otros hermanos luchando para obedecer el mismo mandamiento o similar. Tenemos que orar uno para el otro. Jamás critique el uno al otro. Estamos todos juntos en la lucha contra el pecado. Tenemos que defender, y animarnos en la batalla.

Áreas donde las Escrituras nos comunican sabiduría e instrucción:

Su relación con Dios

- Comunión para disfrutar.
- Mandamientos para obedecer.
- Promesas para reclamar.
- Oraciones para expresar.
- Su relación consigo mismo
- Antecedentes y heredad.
- Experiencia actual.
- Actitudes positivas o negativas.
- Emociones destructivas: miedo, odio, resentimiento, amargura, ira, afán, angustia, o envidia.
- Valores, prioridades y convicciones personales.
- Expectativas del futuro.

Su relación con otros

- En el hogar.
- En la iglesia.
- En la sociedad.
- En el mundo.

Su relación con el enemigo

- Una persona para resistir.
- Las maquinaciones para reconocer.
- Pecados para evitar, arrepentirse o reconciliar.
- Armadura para vestirse.

La formación de principios

Los datos del estudio previo tienen el propósito de enfocarse en la verdad real del texto, no en algo inventado por medio de espiritualizar o alegorizar.

Definición de un principio
Una "verdad general o fundamental", "una regla de conducta por la cual la persona rige su vida o acciones." Es una declaración clara que "tiene el propósito de servir como guía de conducta o procedimiento". Todos los principios son derivados del estudio bíblico.

Los principios tienen estas características:

1) Es una declaración positiva, proactiva y práctica.
2) Es una declaración clara, concisa, expresada en una oración simple y breve que contiene una sola idea que ha sido derivado de nuestro Observación e Interpretación de un texto.

3) Es una verdad que siempre es válida y vigente. Es una verdad universal que transciende las culturas y tiempo.
4) Es una regla establecida que es la base para la vida y la conducta que deriva del carácter de Dios que notaron en la Observación. Como Dios respondió (¿Por qué?), Qué le agradó (¿Cómo?), o Qué le odia o castigo (¿Qué?).
5) Mira por temas que se repita para deducir normas de conducta, actitudes, prioridades, valores y relaciones. Forma principios para cada una de estas categorías.

Los principios son diferentes de la aplicación personal. La aplicación es específica para una situación y una persona en un tiempo específico.

Ejemplos:
Gé 15:1
Principio: La promesa de la protección del Señor es suficiente para las actividades de cada día.
La seguridad del creyente se basa en las promesas, no en las circunstancias.

Sal 84:11
Principio: El Señor promete muchas bendiciones a los que siguen Su voluntad.

Mateo 9:37-38
Principio: La oración es el método divino de levantar obreros para la obra.
La responsabilidad de la obra está sobre los que oran fielmente.

Fil 2:30
Principio: La declaración del servicio al Señor motiva al mínimo interés en nosotros mismos y máxima preocupación por las necesidades de los demás.
Dios premia el sacrificio de sus siervos destacados.

Efectos de derivar principios de las Escrituras:

1) *Nos obliga a tener cuidado con el texto.*
Es más que saber lo que dice o significa; hay que saber cómo aplicarlo a mi vida hoy.
He. 1:1-4
2 Co 1:4-6
Ejemplo de Jonás 1:1-7
v. 1: El Señor trata soberanamente con cada uno de los suyos.
El nos habla a través de Su Palabra.
v. 2: El Señor observa toda la maldad hecha en la tierra. Es sensible.
v. 3: El camino fácil no es siempre el correcto. Pagamos un precio cuando desobedecemos al Señor.
v. 4: El Señor siempre alcanzará al hijo que trata de huir de Él.
Dios usa los elementos y el tiempo para cumplir Sus propósitos.
v. 5: El creyente desobediente es insensible a las necesidades de los demás.
El creyente que ignora la voluntad de Dios puede causar problemas con los de su alrededor.
v. 6: El creyente desobediente es un mal testimonio para los inconversos.
v. 7: El Señor puede usar medios inusuales para castigar sus hijos.

2) Nos obliga a pensar en ideas o conceptos escondidos en el texto.
No es la repetición del texto, sino la expresión del concepto expresado en el texto.

Procedimiento para determinar los principios

1) Hacer lo mejor para obtener la interpretación correcta de un texto antes de intentar derivar un principio.
   - Las instrucciones para una situación específica no deben ser generalizadas (Mt. 10:9,10)
   - Las promesas bíblicas se deben considerar a la luz de sus circunstancias culturales, individuales o dispensaciones.
   - Las promesas de 2 Sam. 7:16 en correlación con Sal. 89:30-37; Lucas 1:31-33 y Hechos 2:29-36; Concedidas específicamente a David y uno de sus descendentes la cumplirá.
2) Cuidar que cada principio esté en armonía con la enseñanza del resto de la Biblia (concordancia).
   - A veces es sabio verificar sus principios elaborados con un creyente más maduro.
   - Las instrucciones de Pablo a los esclavos no forman bases para justificar la esclavitud (Ef. 6:5)
3) Buscar evidencias del carácter de Dios: cómo responde Él, qué le agrada, qué premia y qué odia (Gé. 2:17)
4) Ciertos temas se repiten suficientes veces para deducir principios de conducta, actitudes, prioridades, relaciones y valores.
   - Pablo describe sus sentimientos hacia los de Tesalónica, no para ser un héroe, sino para ser un ejemplo a imitar. De tales ejemplos se forman metas, valores o principios para los que, con su vida, sirven al Señor.
5) Para obtener una lección espiritual de las divisiones mayores de un libro formule un principio de cada porción del texto que estudie. Josué 1: Dios da capacidad y oportunidad divina al individuo que Él pone en el liderazgo.

Proyectos:

1) Derive dos principios para cada uno de los primeros siete versículos de 1 Tesalonicenses 1.
2) Escriba un principio para cada una de las dos divisiones principales de 1 Tesalonicenses (Cap. 1-3, primera división y cap. 4-5, segunda división)
3) Escriba un principio de cada una de las divisiones de Santiago 1 (1:1-8; 9-15; 16-21; 22-27)

La actualización

¿Cómo voy a actualizar las enseñanzas bíblicas?

- **Medite** en las enseñanzas.
- **Relaje** su mente y su cuerpo. Permita que el Espíritu de Dios libere todas sus tensiones.
- **Lea despacio** y con devoción el pasaje. A veces, lea en voz alta.
- **Considere** lo que el pasaje le está diciendo, utilizando las preguntas sugeridas que aparecen en las *Maneras para Aplicar.*
- **Imagínese** al Señor hablándole con respecto a la enseñanza en el pasaje.
- **Reflexione** sobre el pasaje como una guía para la oración en temas tales como confesión, petición, intercesión, acción de gracias y alabanzas.

Qué debe evitar en la Aplicación:

1. No confunde la Interpretación con la Aplicación.
2. No rende cuando no siente la necesidad de aplicar la Biblia a su vida. Perseverancia es la clave de la vida transformada.
3. No piense que una repuesta emocional es una aplicación. Dios no está interesado en como Ud. piensa (tristeza por sus errores), al contrario, quiere saber lo que va a hacer con respeto de un mandamiento.
4. No espere resultados de inmediata. La transformación requiere tiempo.
5. No sea frustrado con poco valor (aparente) en los pequeños cambios de obediencia.

EXPRESE SU FE DE UNA MANERA CONCRETA

- Verbalice su fe.
- Comparta su fe en formas diferentes: dinero, tiempo, energía en ayuda a los necesitados, los solitarios, los enfermos y los ancianos.
- Involúcrese en su iglesia, no solamente en las reuniones y programas, sino también en las vidas de individuos para discipularles, exhortarles y animarles.
- Utilice el medio para escribir (poemas, himnos, cartas, artículos en periódicos) o dibujar (carteles, banderas, ilustraciones, dibujos, etc.)

COMPARTA SUS CONVICCIONES E INQUIETUDES CON OTROS.

HAGA UN COMPROMISO VERBAL CON OTROS.

ORE CON OTROS POR AUXILIO, PODER, DIRECCIÓN, FORTALEZA Y SABIDURÍA EN LA APLICACIÓN DE LA BIBLIA PARA SU VIDA.

¿Por qué tanto énfasis en compartir y estudiar con otros?

- Nos necesitamos los unos a los otros
    - Cuando nos reunimos durante los domingos para la adoración, normalmente pocas veces compartimos entre nosotros temas serios.
    - Necesitamos grupos pequeños, como para hacer estudios bíblicos, donde podamos compartir nuestras preocupaciones, miedos, dudas y cuestiones. Un tiempo cuando podamos animarnos y orar el uno por el otro específicamente.

- Nuestro desempeño en tal grupo
    - Como *Receptor*
    - Como *Dador*
    - Como *Receptor-Dador*
    - Como *Capacitador*

¿Para qué llegar a ser "capacitadores"?

- Muchas personas que escuchan los estudios o mensajes tienen problemas, culpas, sentimientos de soledad y están desanimados. Por más inspirado que sea el mensaje muchas veces salen sin ninguna motivación para cambiar.

- La mayoría de la gente tiene un concepto pobre de sí mismo y no sabe acerca de su propio potencial. Hay una brecha ancha entre lo que sabemos que debemos ser y lo que pensamos que somos. Por esa brecha ancha nos sentimos culpables y desvalorizados. Por esto pensamos que solo podemos ser *Receptores* y rechazamos posiciones de liderazgo y las oportunidades de compartir. Llegamos a ser *Capacitadores* cuando nos quitamos nuestras máscaras y compartimos con otros nuestros miedos, dudas, pensamientos y problemas.

El *Capacitador* trata de crear un ambiente de confianza, aceptación y entendimiento de modo que todos se sientan libres para compartir sus esperanzas, aspiraciones, dudas y miedos. Recuerde: DE MANERA PERSONAL ES IMPOSIBLE DESARROLLAR UNA IMAGEN POSITIVA DE SÍ MISMO : REQUIERE LA AFIRMACIÓN DE DIOS Y DE OTROS para pensar en nuevos conceptos sobre sí mismo y reconocer sus potencialidades en Cristo.

Cómo llegar a ser un capacitador

RECONOZCA QUE EN ALGUNOS SENTIDOS SOMOS TODOS IDÉNTICOS.

- Tenemos miedo de equivocarnos y revelar nuestra ignorancia.
- Tenemos miedo del rechazo de otros.
- Nos preocupamos acerca de lo que otros pensarán de nosotros.
- Tenemos miedo de compartir nuestras ideas porque pensamos que es posible que estemos equivocados.
- Sentimos culpa acerca de muchas cosas.
- Evitamos situaciones en que podamos ser avergonzados.
- Somos lentos e inseguros para aceptar nuevas ideas.

OCÚPESE DEL CRECIMIENTO PERSONAL DE OTROS.

- Anime a cada uno a compartir.
- Escuche con cuidado la contribución de cada uno y amplifíquelo.
- Tenga cuidado de no dominar la discusión.
- Sea honesto y abierto en compartir sus dudas, miedos, frustraciones, juntamente con sus sueños y aspiraciones.
- Respete las ideas de cada uno aunque sean distintas a las suyas.
- Anime a los que tienen necesidad de compartir.
- Identifíquese con los problemas de otros.

Seis preguntas básicas por Josh McDowell:

Después de observar el pasaje, interpretarlo y correlacionarlo, debe terminar con una lista de varias verdades, o principios para enseñar. El número que debe buscar dependerá del tiempo que tiene para enseñarlos. Ahora pregúntese:

1) ¿Cómo aplico esta verdad a mi vida? ¿En el trabajo? ¿En el vecindario? ¿En mi casa? ¿En mi nación? Escriba cada uno en detalle.
2) En vista de estas verdades ¿cuáles cambios específicos debo hacer en mi vida? Escriba varios.
3) ¿Cómo me propongo a realizar estos cambios? Sea específico. Debe ser concreto, no teórico. Sea práctico.
4) ¿Cuál va a ser mi oración personal con respecto a esta verdad? No sería malo escribir una oración en sus devocionales. La oración personaliza los principios.
5) ¿Cuáles versículos de la Biblia debo memorizar para implantar la Palabra en mi vida?
6) ¿Cuál ilustración puedo desarrollar para ayudarme a retener esta verdad y comunicarlo a otros? Puede pensar en una historia, poema, dibujo, gráfico o cita.

Cuidado: cosas para evitar en la aplicación:

No confunda la interpretación con la aplicación. Solamente porque entiende algo no indica que haya aplicado la verdad. Sabemos que la hospitalidad es algo bíblico, pero es más que *querer ser hospedador*. Tiene que *ser hospedador* —hágalo esta semana.

Dilación

Frecuentemente no sentimos la disposición de estudiar la Biblia. Es normal, especialmente cuando estamos ocupados. Los viejos hábitos y sentimientos no se van fácilmente. Tenemos que decidir: "*¿Dejamos que nuestros sentimientos nos controlen y dilatamos el tiempo, o los vamos a resistir y ser hacedores de la Palabra?*"

- Cuando se desprende de algo, hay que reemplazarlo para que el cambio sea permanente.
- No es nuestra *emoción* lo que nos motiva a estudiar la Palabra, sino nuestra *convicción.*

Respuestas emocionales que no resultan en acciones.

Puede ser una emoción de excitación o quebrantamiento, pero no nos motiva en un área específica. Los problemas que resultan son varios:

a. Nos satisface tener una repuesta emocional expresada en gozo o lágrimas pero no necesariamente produce obediencia.
b. Gradualmente hay un endurecimiento sutil que ocurre en el corazón cuando uno sabe lo que debe hacer, pero no lo hace. Pronto no siente una firme convicción en áreas débiles de su vida. ¡¡Siente "paz" cuando está en desobediencia!! Así se engaña a sí mismo.

La vana esperanza de resultados inmediatos.

El proceso de madurez y "renovación" de nuestro entendimiento es efectuado en forma gradual. Un árbol no crece en un año, sino en décadas. Su grandeza depende de la profundidad de sus raíces, y así somos nosotros (Col. 2:7).

La frustración

Pensamos: "¿Será que esto, si lo aplico, hará una diferencia en mi vida?" Lo hará. Dios nos enseña que el crecimiento, la madurez y la bendición, vienen directamente por el proceso de entender y aplicar los principios bíblicos a nuestras vidas. Créalo y hágalo. Para ser un jugador de un deporte o maestro de algún instrumento se requiere más que de teoría, se requiere de mucha práctica, paciencia y dirección de alguien que nos muestre interés y que sea un modelo para seguir.

Un ateo dijo:

Si yo creyera con firmeza como millones dicen creer, de tal forma que el conocimiento y práctica religiosa sería todo para mí: yo echaría, como se echa el peso, cada placer mundano; las consideraciones mundanas las estimaría como locura y cada sentimiento o pensamiento mundano como vanidad. La religión sería mi primer pensamiento en la madrugada, mi última imagen antes que el sueño me hunda en el inconsciente; trabajaría solamente para la causa, pensaría solamente en la eternidad, estimaría un alma ganada para el cielo tan valiosa, que aún merecería una vida de padecimiento. Las consecuencias terrenales no me detendrían, ni sellarían mis labios; los gozos del mundo, ni sus penas ocuparían ni siquiera un segundo de mi pensamiento. Yo me enfocaría hacia la eternidad solamente y hacia las almas inmortales que están a mi alrededor destinadas a la miseria eterna. Yo iría al mundo y predicaría a tiempo y fuera de tiempo, mi texto sería: "¿de qué aprovechará al hombre si ganare todo el mundo y perdiere su alma?"

Este fue el dicho que conmovió a C. S. Studd, el misionero inglés, que fue a la China, quien luego dijo: "Si Cristo fue Dios y murió por mí, no hay nada que sea demasiado para hacer por El."

Que tu propio estudio produzca una convicción similar en tu vida.

Problemas prácticas de la Aplicación

1. Basado en su perspectivo de 1 Corintios 6:1-8, un pastor dijo que fue malo para un creyente llevar a otro creyente a la corte de la ley para un juicio. ¿Es válido hermenéuticamente? ¿Por qué o por qué no?

2. Basado en Efesios 6:1-3, un maestro Cristiano enseña que los niños jamás deben resistir los deseos de los padres, pero deben permitir que Dios les dirige por medio de sus padres. Es esto un entendimiento correcto del texto como Pablo lo dio originalmente? Si es así, es válido aplicarlo en la misma manera en la cultura de Latinoamérica? Si su respuesta es afirmativo a las dos preguntas, ¿Cuándo termina esta obligación a los padres?

3. Un número de denominaciones conservadores creen que Cristianos deben abstener totalmente del uso de bebidas alcohólicas. Otras denominaciones creen que la Biblia enseña la moderación sin emborracharse. Estudie los versículos relevantes al uso de bebidas alcohólicas con una concordancia. ¿Puede ver algunos principios que también pueden afectar su convicción a esta cuestión?

4. Un ministro predicando sobre Filipenses 4:19 (Mi Dios, pues, suplirá todo lo que os falta conforme a sus riquezas en gloria en Cristo Jesús"). Enseñó que cualquier necesidad de un creyente Dios ha prometido suplir según este pasaje. ¿Es válido hermenéuticamente su entendimiento de este versículo o es quebrando un principio general?

Apéndice A: El entendimiento del entender el sentido del verbo Griego

La conjugación del verbo Griego tiene muchos significados implícitos en la forma del verbo. El tipo de acción del verbo es esencial para el entendimiento de muchos pasajes de la Escritura. En este estudio utilizaremos ocho diferentes tiempos del texto original que pueden ampliar sus estudios en léxicos y libros de gramática del Griego. Normalmente las implicaciones de las formas no son dadas, porque se espera que el investigador de las Escrituras estudie para entender.

Los tiempos generalmente paralelos entre el Castellano y el Griego no recibirán mucha explicación, al menos que haya una diferencia entre el entendimiento común del Castellano: el tiempo presente significa el tiempo progresivo ("Yo creo" significa "Yo estoy continuamente creyendo" en el Griego tiempo presente).

Las formas principales del verbo Griego que son necesarias a entender para el estudio bíblico son los siguientes:

1. Tiempo presente
2. Tiempo aoristo
3. Imperativo presente
4. Imperativo aoristo
5. Imperativo negativo,
    a. Imperativo presente negativo
    b. Imperativo aoristo negativo
6. Tiempo perfecto
7. Tiempo imperfecto

Siendo que estas formas son esencial para el entendimiento de pasajes importantes en el NT, cada uno será explicado e ilustrado. Es muy importante captar el significado o matiz, porque van a aparecer muchas veces en nuestro estudio.

I. El tiempo presente

El tiempo presente en Griego comunica una acción continua o habitual. Ejemplos del uso del tiempo presente en la Escritura incluye los siguientes:

1. **La acción que es continua o sin interrupción**: "Permaneced en mí, y yo en vosotros. Como el pámpano no puede llevar fruto por sí mismo, si no permanece [*continuamente*] en la vid, así tampoco vosotros, si no permanecéis [*continuamente*] en mí." (Juan 15:4 R60).

2. **La acción que ocurre vez tras vez o repetidamente**: "Entonces llamando a sus doce discípulos, les dio autoridad sobre los espíritus inmundos, para que los echasen fuera [*repetidamente*], y para sanar [*repetidamente*]toda enfermedad y toda dolencia." (Mat 10:1 R60)

3. **La acción que es costumbre o habitual**: "Así que, todas las cosas que queráis que los hombres hagan [*habitualmente*] con vosotros, así también haced [*habitualmente*] vosotros con ellos; porque esto es la ley y los profetas." (Mat 7:12 R60)

Cuando encuentre un verbo en el tiempo presente, el estudiante de la Biblia puede añadir una de las palabras implícitas o frases que mejor encaje en el contexto: *continuamente, repetidamente, vez tras vez, sin interrupción, constantemente, habitualmente, por costumbre.*

II. Tiempo aoristo

Cuando su investigación indica que el verbo en el Griego es el tiempo aoristo, el sentido de este verbo es generalmente considerado como un punto; es decir, es una acción completa, vista como una entidad o una vez para siempre. Tal acción (depende del contexto) puede significar uno de los siguientes:

1. **La acción se ve como efectivo o exitoso**: "Como te rogué que te quedases en Éfeso, cuando fui a Macedonia, para que mandases [*efectivamente*] a algunos que no enseñen diferente doctrina," (1Ti 1:3 R60) o "Ninguno que milita se enreda en los negocios de la vida, a fin de agradar [*exitosamente*] a aquel que lo tomó por soldado." (2Ti 2:4 R60).

2. **La acción se ve como una-vez-para-siempre**: "Pero yo os digo que cualquiera que mira [*una vez*] a una mujer para codiciarla, ya adulteró con ella en su corazón." (Mat 5:28 R60)

3. **La acción se ve como completa y entero como una unidad**: "Y si siete veces al día pecare [*como una sola acta*] contra ti, y siete veces al día volviere a ti, diciendo: Me arrepiento; perdónale." (Lucas 17:4 R60). El concepto incluye todas las ocasiones posibles de este acta como una idea singular.

4. **La acción se ve como una acción anticipada o muy real**: "Si permanecéis [*actualmente o verdaderamente*] en mí, y mis palabras permanecen [*actualmente o verdaderamente*]en vosotros, pedid todo lo que queréis, y os será hecho." (Juan 15:7 R60).

El tiempo aoristo muestra una variedad de matices que se puede comunicar con unas pocas palabras auxiliares. Cuando descubre el verbo aoristo mira una de las palabras siguientes que mejor encaja en el contexto: *efectivamente, exitosamente, completamente, una vez para siempre, enteramente, verdaderamente, realmente,* o verlo como un solo evento.

Imperativos

El Griego tiene una capacidad precisa cómo un orden o un mandamiento se debe entender. Siendo que las bendiciones o éxito depende en la obediencia a los mandamientos de Dios, es obvio que se debe esforzarse a entender el sentido verdadero de los mandamientos. Las dos formas principales de los mandamientos positivos son el imperativo presente y el imperativo aoristo.

III. Imperativo presente

El mandamiento o orden que el autor quiere aplicar repetidamente o continuamente están escritos en el tiempo presente en la modo imperativo. Así, el imperativo presente significa, "Continuamente sigue este mandamiento todas las veces que la situación o necesidad se presenta." Las palabas en 2 Co 13:5 así toman un nuevo sentido: "Examinaos a vosotros mismos si estáis en la fe; probaos a vosotros mismos. ¿O no os conocéis a vosotros mismos, que

Jesucristo está en vosotros, a menos que estéis reprobados?" (2Co 13:5 R60). El imperativo presente en este versículo muestra enfáticamente el peligro del orgullo espiritual y la necesidad de auto-examinarse como una consideración constante a través de toda la vida del creyente. Los cuadro imperativos en 1 Cor 16:13, "Velad, estad firmes en la fe; portaos varonilmente, y esforzaos." (1Co 16:13 R60). Cada mandamiento significa un compromiso de largo-plazo, como el verbo indica.

IV. Imperativo aoristo

El imperativo aoristo no indica un compromiso a largo plazo, sino una decisión específica y definitiva para hacer en el momento de la confrontación. Como las palabras del Señor en Juan 15:4, "Permaneced en mí," no se trata de un estilo de vida en el futuro, sino es llamando a una relación de compartir la esencia del Señor mismo inmediatamente. La misma idea está en la exhortación de Pablo en 2 Cor 5:20, "Reconciliaos con Dios." Es algo que se tiene que hacer ya o decidirlo inmediatamente, una vez para siempre.

En resumen, el contraste entre el imperativo presente y el imperativo aoristo: El imperativo aoristo obliga una elección o acción inmediata y permanentemente; mientras el imperativo presente se refiere a un compromiso a un proceso.

El imperativo aoristo se refiere a una situación particular o específica; mientras el imperativo aoristo normalmente se refiere a algo más general y repetitivo.

El imperativo aoristo le llama a una elección o acción decisiva para cumplir una acción que a menudo es urgente e inmediato; mientras que el imperativo presente llama a alguien a algo desde ahora para siempre.

El imperativo aoristo demanda una decisión ya; mientras que el imperativo presente es una consideración más amplio de un principio general o estilo de vida.

Así que el orden, "Apague la TV" requeriría el imperativo aoristo; mientras, el orden del profesor, "Lea los libros" o "Estudie", requeriría el imperativo presente.

V. Imperativos negativos

Como los imperativos positivos ("haga algo") tienen dos formas, así también hay dos formas para expresar los imperativos negativos ("No haga esto"). La distinción es difícil de traducir. El estudiante entenderá el matriz o sentido de estos imperativo por captar las implicaciones en las definiciones siguientes:

A. Imperativo presente negativo:

a. En la mayoría de los usos del imperativo presente negativo tienen el sentido de "deja de hacer algo." Por ejemplo, cuando Jesús dijo a María de Magdalena, "Jesús le dijo: No me toques, (Juan 20:17 R60), no estaba diciendo, "Jamás me toque," sino estaba diciendo, "Deja de tocarme," con la implicación que ya estaba tocándole.

b. El escolar A. T. Robinson dijo que en general el imperativo presente negativo es usado para detener o parar una acción que ya estaba ocurriendo, mientras que el imperativo aoristo negativo tiene la idea de prohibición de una acción no comenzado todavía.

c. El sentido del apóstol "No os alarméis, pues está vivo." (Hechos 20:10 R60) El sentido del verbo era "Deja de ser alarmado..."

d. Cuando Jesús dijo a Tomás, "Y no seas incrédulo, sino hombre de fe." (Juan 20:27), el sentido fue "deja de ser un incrédulo."

e. Otra instante de imperativo presente negativo es "continúe rehusando hacer algo cada vez que la situación ocurra" como en "no maldigáis" (Ro 12:14 R60)

f. Resumen: cuando descubra que el imperativo es un imperativo presente negativo, en la traducción en castellano, se puede añadir este sentido, "Deja de hacer esto!," "No permita esto a continuar jamás", o "Continúe a rehusar hacer esto."

B. **Imperativo aoristo negativo (también subjuntivo).**

a. El imperativo aoristo negativo tiene un enfoque distinto del imperativo presente negativo. El imperativo presente negativo enfatice la prohibición de la continuación de una acción, el imperativo aoristo negativo sugiere que la acción no ha comenzado todavía.

b. Es evidente en "Por tanto, no te avergüences [*jamás en cualquier circunstancia*] de dar testimonio de nuestro Señor..." (2Ti 1:8 R60). El sentido no significa que Timoteo tenía vergüenza, sino que él nunca debería tener vergüenza del Señor.

c. Este tipo de prohibición es también evidente en Hebreos, "Mirad que no desechéis [*en cualquier tiempo*] al que habla" (He 12:25 R60).

d. Resumen: cuando descubra el imperativo aoristo negativo, el traductor puede añadir una de estas frases para el entendimiento correcto del verbo: "Jamás comience a hacerlo;" o "De ninguna manera haga esto." Mientras que el imperativo presente negativo verá la situación como algo que va a repetirse vez tras vez (o que ya está ocurriendo), el imperativo aoristo negativo es algo más urgente o una prohibición más autoritario demandando que nunca ocurre.

VI. El tiempo Perfecto

In el Griego del NT, el tiempo perfecto comunica una acción con los efectos o consecuencias que persiste o cuyo resultados o condiciones continúe. Es una acción en el pasado que tiene resultados en el presente.

A menudo la frase "y actualmente todavía es" capta el sentido del tiempo perfecto cuando es usado en traducciones. Los ejemplos siguientes ilustra la idea:

Hebreos 1:4, "hecho tanto superior a los ángeles, cuanto heredó [*y actualmente tiene*] más excelente nombre que ellos."

Hebreos 2:9, "... Jesús...coronado [*y actualmente todavía es*] de gloria y de honra..."

Hebreos 12:2, "Jesús ... el cual por el gozo puesto delante de él sufrió la cruz...y sentó [*y actualmente es*] a la diestra del trono de Dios."

Quizás el sentido más comunicado por el tiempo perfecto es el efecto continuo de una acción (y no la acción en sí), que debe ser determinado por el contexto. Por ejemplo, en el grito de Jesús desde la cruz, "Consumado es" (Juan 19:30), el tiempo perfecto muestra que el resultado y efecto de su muerte no terminó en la cruz, sino que todavía tiene efecto hasta hoy. Otro ejemplo de una acción cumplida, pero cuya efecto continúe profundamente está en Gá 2:20, "Yo he sido crucificado [*y actualmente todavía estoy*] con Cristo."

El uso del tiempo perfecto en el NT es muy importante. El sentido de cada uso debe ser determinado por su contexto.

VII. El tiempo imperfecto

El tiempo del imperfecto es usado principalmente en el NT para comunicar una acción repetido en el pasado que nunca termina. Un ejemplo es Marcos 5:18, cuando el "hombre que había estado endemoniado ***rogaba*** que le dejase estar con él". El tiempo imperfecto, como en Castellano, mostró que el hombre no pidió a Jesús una vez, sino estaba rogándole vez tras vez. Muchas veces el tiempo imperfecto se expresa en el tiempo progresivo pasado, pero no siempre.

En Marcos 6:41, "Entonces tomó los cinco panes y los dos peces y levantando los ojos al cielo, bendijo, y partió los panes y dio a sus discípulos para que los pusieran delante; también repartió [*vez tras vez repetidamente*] los dos peces entre todos."

El imperfecto es usado para comunicar una acción habitual o costumbre en el pasado.

El imperfecto también puede simbolizar una acción en un proceso dinámico. Lucas 4:39 ilustra este sentido: "E inclinándose hacia ella, reprendió a la fiebre; y la fiebre la dejó, y levantándose ella al instante, les servía. 40 Al ponerse el sol, todos los que tenían enfermos de diversas enfermedades los traían a él; y él, poniendo las manos sobre cada uno de ellos, los sanaba [*continuamente*]. 41 También salían [*continuamente*]demonios de muchos, dando voces y diciendo: Tú eres el Hijo de Dios. Pero él los reprendía y no les dejaba hablar, porque sabían que él era el Cristo." (Lucas 4:39 R60).

El traductor puede añadir algunas de las palabras siguientes a la traducción para mostrar el sentido del verbo: "repetidamente, vez tras vez, habitualmente, por costumbre."

Appendix B: Ayudas para el estudio bíblico en el Internet

Las páginas del web que contiene mucha ayuda para el estudio, aunque la mayoría están en Inglés.

http://palabramiellubbock.org/biblia y ayudas de estudio
http://www.purabiblia.com/web/links/link-diccionario-es.html
eSword en Español: http://esword-espanol.blogspot.com/
Recursos gratis para el discipulado: http://www.losnavegantes.net/equiparpdf.html

Software de la Biblia

Logos http://www.logos.com/es
Web Biblia: http://www.webbiblia.com/
Software para estudio en español: http://blog.tecnologiaeficaz.com/2007/05/e-sword-software-para-estudio-bblico-en.html

On-Line Bible +downloadable library (available in multiple languages)
http://www.onlinebible.org/html/eng/starterspack.htm
http://www.onlinebible.net/describe.html
http://www.davepohl.com/winonlinebible.html ($34.95)
http://unbound.biola.edu/
http://www.genesis.net.au/~bible/
http://www.swordsearcher.com/
http://www.e-sword.net/downloads.html
http://www.fourmilab.ch/etexts/www/Bible/Bible.html
http://www.searchgodsword.org/ Offers a number of aids including an interlinear Bible with Strong's numbers linked to definitions of words and verb form meanings. Plus Parallel Bible, Commentaries, Concordances, Dictionaries, Encyclopedias, Lexicons, etc.

Herramientas para el estudio bíblico

Strong's Concordance: http://biblehub.com/
Interlinear Bible http://bible.crosswalk.com/InterlinearBible/

Nave's Topical Bible http://bible.crosswalk.com/InterlinearBible/

Treasury of Scripture Knowledge
http://bible.crosswalk.com/Concordances/TreasuryofScriptureKnowledge/

Baker's Evangelical Dictionary of Biblical Theology
http://bible.crosswalk.com/Dictionaries/BakersEvangelicalDictionary/

NT Greek Lexicon http://bible.crosswalk.com/Lexicons/NewTestamentGreek/

OT Hebrew Lexicon http://bible.crosswalk.com/Lexicons/OldTestamentHebrew/

Parallel Bible Comparisons http://bible.crosswalk.com/ParallelBible/

Bible Dictionaries/Encyclopedias http://www.blueletterbible.org/search1.html

Commentarios de la Biblia

Matthew Henry: http://bible.crosswalk.com/Commentaries/MatthewHenryComplete/

Robertson's Word Pictures of the NT
http://bible.crosswalk.com/Commentaries/RobertsonsWordPictures/

Scofield Reference Notes (1917 edition)
http://bible.crosswalk.com/Commentaries/ScofieldReferenceNotes/

Treasury of David (Charles H. Spurgeon)
http://bible.crosswalk.com/Commentaries/TreasuryofDavid/

Fourfold Gospel (Harmony of the Four Gospels)
http://bible.crosswalk.com/Commentaries/TreasuryofDavid/

Christian Classics Ethereal Library
http://www.ccel.org/olb/)

On-Line Bible Study Tools
http://www.godonthe.net/evidence/studytul.htm
http://www.aljc.org/Biblestudytools.htm

Comparing Bible versions
http://www.churchesofchrist.net/comparer.htm

Free Bible plus much more
http://www.info-hq.net/bible/4.html

Concordancias en el Internet (y mucho más)

http://bible.gospelcom.net/ (incluye búsquedas en múltiples lenguas)
http://www.blueletterbible.org/
http://www.bibleontheweb.com/Default.asp
http://www.bibles.net/
http://www.studylight.org/

Mapas y gráficos de la Biblia

http://www.biblestudy.org/maps/main.html
www.bible.ca/maps/
http://www.iath.virginia.edu/mls4n/maps.html
http://www.angelfire.com/ok2/discouragement/Equippers/BibleGeography/Index.html
http://bible.crosswalk.com/OtherResources/BibleMaps/
http://www.bible.ovc.edu/terry/maps/ Mapas de la Biblia
http://preceptaustin.org/Maps_page.htm Cientos de mapas para presentaciones

Cronología de la historia: http://www.blueletterbible.org/study/parallel/timeline/index.html

Apéndice C: Diferentes métodos de estudios

Estudio de un LIBRO ENTERO

La Biblia contiene muchos Libros (69 en total). Sin embargo, el plan de Dios para redimir a los hombres pasa por todos los Libros. Ten cuidado de considerar a cada Libro como parte de la totalidad. Léalo completamente. Sigue estas sugerencias le ayudará hacer su estudio más significativo.

- Lea el Libro entero varias veces.
- Marque y subraya lo que Dios te habla por Su Palabra.
- Haga un bosquejo con resúmenes de párrafos con un título distinto para cada capítulo. Ningún otro capítulo debe tener el mismo título.
- Escriba los nombres de los caracteres; brevemente describe quiénes son y su importancia.
- Elige un versículo clave de cada capítulo para memorizar; escríbalo en una tarjeta para llevar.
- Localice enseñanzas para obedecer y promesas que aplica a nosotros universalmente.
- Considere lo que el texto revela de Dios el Padre, Dios el Hijo, y Dios el Espíritu.
- Escriba una aplicación específica y personal de cada tema y exhortación de cada capítulo.
- Comparte los resultados con otros.

La forma para estudiar un Libro de la Biblia

<table>
<tr><td>1. Libro:</td><td>Número de capítulos:</td><td>Número de tiempos leído:</td></tr>
<tr><td colspan="3">2. Apuntes del Libro:</td></tr>
<tr><td colspan="3">Libros de referencia usada:</td></tr>
<tr><td colspan="3">3. Fondo del Libro:</td></tr>
<tr><td colspan="3">4. Gráfico del Libro (use una hoja en blanco para formar el panorama del Libro):</td></tr>
<tr><td colspan="3">5. Bosquejo preliminar:</td></tr>
<tr><td colspan="3">6: Aplicación/evaluación:</td></tr>
</table>

Estudio por CAPÍTULO

Para lograr un concepto del capítulo, conteste las preguntas siguientes:

- ¿Qué es el sujeto o tema principal del capítulo?
- ¿Qué es la lección principal para comunicar? (El propósito del capítulo)
- ¿Qué es el versículo clave? (Memorícelo.)
- ¿Quiénes son los personajes principales?
- ¿Qué nos enseña el capítulo a cerca de Dios el Padre?
- ¿Qué nos enseña el capítulo a cerca de Jesús?
- ¿Qué nos enseña el capítulo a cerca del Espíritu Santo?
- ¿Hay unos ejemplos para seguir?
- ¿Hay unos errores para evitar?
- ¿Hay unas responsabilidades para cumplir?
- ¿Hay unas promesas para reclamar y depender?
- ¿Hay unas oraciones para ser modelo de cómo orar?

Formulario para el Análisis del estudio de un capítulo

Capítulo:	**Título del capítulo**
1. Resumen del capítulo:	
2. Observación	
3. Temas de interpretación	
4. Correlación	
5. Aplicación	
6. Conclusiones:	
7. Personal Aplicación/Evaluación:	

El estudio de un tema o tópico

Al estudiar un texto o libro bíblico encontrará muchos temas que provocarán curiosidad por lo que la Biblia dice al respecto en su contexto. El tema puede ser un concepto, una palabra, una frase o principios. Cuando estudia el texto bíblico encontrará muchos temas que vale la pena parar e investigar antes de seguir. Un estudio temático no se deriva de una apariencia en un párrafo solitario, sino en repetidos pasajes. El estudio se deriva de la repetición de un concepto, palabra o frase que está dispersa a través de la mayoría de las Escrituras. Por ejemplo: podría estudiar lo que la Biblia dice con respeto al "perezoso."

El procedimiento:

1. Considerar a cada tema en la Biblia como importante, merecedor de un estudio profundo.
2. Elegir un tema general del libro.
   - Aunque hay muchos temas, tiene que enfocarse en uno.
   - Proverbios tiene más de 100 temas, más de 80 referencias al "necio" o "insensato" y representan a 4 diferentes palabras en el hebreo. Se puede dividir el estudio según lo siguiente:
     1) Características de un necio.
     2) Placeres de un necio.
     3) Los labios de un necio.
     4) Las actitudes de un necio hacia sus padres, el trabajo, la disciplina, etc.
     5) Los problemas que el necio causa a otros.
     6) Lo que el necio no puede evitar mientras sigue en su necedad.
3. Hacer una lista de cada aparición de su tema en el orden que aparece en el libro al notar las referencias.
   - Se puede usar una concordancia en español.
   - Se puede descubrir la palabra en griego, se puede usar la concordancia "Greco-Española", para ser más específico.

4) Clasificar el material que ha compilado.
   a. Agrupar todos los versículos similares.
   b. Agruparlos por énfasis: numérico, cronológico, lógico, comparativo, contrastante, etc. Un ejemplo sería "conciencia" en el NT. Aparece 40 veces, se clasifica en 2 categorías:
      1) La conciencia insatisfecha: Es débil (1 Co. 8:7), puede ser cauterizada (1 Ti. 4:2); contaminada (Tito 1:15); mala (He. 10:22).
      2) Conciencia satisfactoria: Es limpia (He. 9:14); buena (Hc. 23:1; He. 13:8); pura (1 Ti 3:9); sin ofensa (Hc. 24:6).
5) Si es posible, aprenda el significado de cada aparición de su tópico o tema.
   a. Use Vine, *Diccionario Expositivo de las palabras del Nuevo Testamento.*
   b. Verá que la "conciencia" en #4 es modificada por 2 palabras:
      agathos, el más frecuente, "bueno", en el sentido de estar conforme a un estándar o norma de lo que es correcto. (Hc. 23:1; 1 Ti. 1:5, 19; 1 Pe. 3:16).
      kalos, "bueno", de acuerdo a una norma de hermosura (He. 13:5).
6) Note las relaciones de los usos de su tema en sus contextos.
   a. Cuando saca un pasaje de su contexto — los versículos, oraciones, o párrafos alrededor — el sentido puede ser mal entendido. Ilustración: Fil 4:19
7) Considerar la aplicación a su propia vida de las verdades que ha aprendido de su estudio de un tópico. (Sal 119:25; 139:23-24)

Formulario para el estudio bíblico de un TÓPICO

Tópico:		
1. Lista de palabras:		
2. Referencias bíblicas:	**3. Versículos similares:**	**4. Observacions** (de cada versículo):
5. Bosquejo breve del tema:		
6. Conclusión (resumen y aplicación):		

Un estudio BIOGRÁFICO

Este es un estudio tópico especializado: el tópico es una persona.

Cosas para recordar:

- Encontrará su material igual a un estudio acerca del tópico.
- Cuando use un Diccionario Bíblico tenga cuidado de aceptar la posición del otro. Es mejor consultar el Diccionario Bíblico después de haber formado su propio pensamiento y tener sus propias ideas.
- Algunos personajes bíblicos tenían más que un nombre: Saulo/Pablo; Cefos/Simón/Pedro; Israel/Jacob; Jacobo/Santiago. Asegúrese de haber investigado todas las referencias.
- A veces el mismo nombre puede referirse a varias personas: Saúl, Juan, María. Asegúrese que está estudiando a la persona correcta.
- Algunas personas tienen una amplia porción dedicada a ellos. Puede ser que quiera limitar su estudio a una porción de su vida: "Las oraciones de la vida de Pablo en la prisión."

Cosas para buscar:

A veces, en una investigación, no va a encontrar toda la información sugerida abajo, puede pensar en otras áreas que no aparecen abajo.

- Antecedentes:
  1. ¿Cuáles eran las circunstancias de su nacimiento? ¿Cuándo? ¿Dónde?, etc.
  2. ¿Quiénes eran sus padres y su familia? ¿Qué tipo de familia? ¿Su condición espiritual?
  3. ¿Cómo afectó el ambiente y el entrenamiento en su niñez y luego en su vida?
  4. ¿Cuáles factores le prepararon para su vida en el futuro?

- Factores de su vida como adulto:
  1. ¿Cuál era su mayor ocupación y cuáles eran las metas de su vida?
  2. ¿De qué aspecto se desprende su importancia?
  3. ¿Qué tipo de gente era importante en su vida? ¿sus amigos, enemigos, su familia? ¿qué influencia tenían ellos sobre él y viceversa?
  4. Geografía: ¿En dónde vivía o tenía ministerio?
  5. ¿Cómo describiría su relación con Dios? ¿Cómo afectó esta relación a su ministerio y a sus metas?
  6. ¿Escribió porciones de las Escrituras? ¿Qué demuestran de él?

- Eventos mayores:
  1. ¿Cuáles eran los eventos importantes de su vida? ¿Cuáles eran las crisis mayores?
  2. ¿Cuáles eran los períodos o pasos de su vida? ¿Hubo un punto clave que divide estos períodos?
  3. ¿Cuáles fueron la manera, causas y efectos de su muerte?

- Carácter:
  1. ¿Qué tipo de carácter tenía?
  2. ¿Cuáles fueron sus puntos fuertes?
  3. ¿Cuáles fueron los resultados y causas de sus puntos débiles y fuertes sobre su carácter?

4. ¿Cuáles eran sus faltas específicas y pecados? ¿Cuáles eran las consecuencias de éstos?
5. ¿Cuál era su actitud en general hacia la vida y hacia otros?
6. ¿Cuáles principios básicos guiaban su vida y su trabajo? ¿Qué le motivó?

- Influencia:
  1. ¿Qué efecto tenía en su generación?
  2. ¿Qué influencia tenía en la historia después?
  3. Si es un personaje del Antiguo Testamento:
     ¿Puede ser un tipo de Cristo? ¿Cómo?
     ¿Cómo le representa el Nuevo Testamento cuando hace referencia a él?

Cosas para organizar en un estudio biográfico:

- Puede escribir su material en forma de bosquejo, como hemos hablado. El bosquejo mencionado puede ser una guía.
- Puede escribirlo en forma de resumen de su carácter, en sus propias palabras.
- Concluya su estudio escribiendo algunas sugerencias de aplicaciones personales para su propia vida. Estas pueden ser lecciones de sus puntos positivos o negativos de la vida estudiada.

Ejercicio:

Prepare un bosquejo del apóstol Pablo basado en 1 Tesalonicenses. Sostenga cada característica que encuentre con referencias bíblicas. Note especialmente las 3 características de Pablo que tuvieron más influencia sobre los creyentes de Tesalónica.

Con oración, considere la lista e indique las áreas que a Ud. todavía le falta desarrollar y escriba tres pasos prácticos que quiere tomar para mejorarlas.

Formulario para un estudio bíblico de un a biografía

1. Nombre de la personalidad bíblica:	
2. Referencias bíblicas:	**4. Cronología** (segunda lectura):
3. Primera impresión (primer lectura):	
5. Perspectivas generales (tercer lectura):	**6. calidades del carácter** (cuarto lectura):
7. Ilustración de verdades bíblicas:	**8. Resumen de la lesión aprendida:**
9. Aplicación/evaluación personal:	
10. Conceptos transferibles:	**11. Personas con quien compartir mi estudio**

Bibliografía

Arthur, Kay. (1994). *How to Study Your Bible*. Eugene, Oregon. Harvest House Publishers.

Bauer, David R. and Traina, Robert A. (2011). *Inductive Bible Study: A comprehensive Guide.* Grand Rapids, MI. Baker Publishing Group.

Carson, D.A. (1984). *Exegetical Fallacies*, Baker book, Grand Rapids.

Chambers, Oswald (2000). *My Utmost for His Highest.* Grand Rapids, MI. Discovery House Publishers.

Couch, Mal. (2000). *An Introduction to Classical Evangelical Hermeneutics*. Grand Rapids, MI. Kregel Publications.

Evans, John (1982). *How to Study the Bible: A Discussion and Workbook.* Colorado Springs, CO. Thomas Nelson.

Fee, Gordon D. (1993). *How to Read the Bible for All Its Worth.* Grand Rapids, MI. Zondervan.

Garland, Anthony C. (2004). *A Testimony of Jesus Christ: A commentary on the Book of Revelation, Vol 1.* Camano Island, WA. Spirit and Truth.org.

Gerhart, Mary and Williams, James G., eds. (1988). *Genre, Narrativity, and Theology*. Society of Biblical Literature, Atlanta, GA.

Hendricks, Howard. (2007). *Living by the Book: The Art and Science of Reading the Bible.* Chicago. IL. Moody Publishers.

Jensen, Irving L. (1992). *Independent Bible Study.*

LaHaye, Tim. (2006). *How to Study the Bible for Yourself.* Colorado Spring, CO. Thomas Nelson Publishers.

Lockhart, Clinton (1984). *Principles of Interpretation: As Recognized Generally by Biblical Scholars, Treated as a Science, Derived Inductively from an Exegesis of Many Passages of Scripture Revised.* A. D. Bookstore.

MacArthur, Jr. John. (1982, 2009). *How to Study the Bible.* Moody Publishers, Chicago.

Manskar, Steven W. (2000). *Accountable Discipleship: Living in God's Household*, Nashville, Discipleship Resources.

Morris, Henry M. (1983). *The Revelation Record.* Grand Rapids, MI. Tyndale House Publishers.

Murray, Andrew (2008). *Humility: The Journey Toward holiness.* Radford, VA. Wider Publications.

Nevin, Alfred, Ed., et al. "A Summary of the Contents of Each of the Books of the Old and New Testaments," *The Parallel Bible. Blue Letter Bible*. 1 Aug 2002. Retrieved 17 Dec 2003 from http://blueletterbible.org/study/parallel/paral15.html.

Nielson, Kathleen Buswell. (2011). *Bible Study: Following the Ways of the Word.* Good News Publishers. Phillipsburg, NJ.

Precept Ministries International (2000). *The New Inductive Study Bible*. Eugene, Oregon. Harvest House Publishers.

Ramm, Bernard (1970). *Protestant Biblical Interpretation.* Grand Rapids: MI. Baker Book House..

Rhebergen, Peter (2010). *The Bible Study Methods.* Retrieved 10/4/11 from http://www.eachnewday.com/HowToStudyTheBible/the_Bible_study_methods.htm

Rogers, Joseph R. (2010). *How to Study the Bible (A Study Series): Applying the Proper Methods for Studying and Understanding the Scriptures.* Sold through Amazon.com.

Sidney Greidanus. (1988). *The Modern Preacher and the Ancient Text: Interpreting and Preaching Biblical Literature*. Grand Rapids, Mich.: Wm. B. Eerdmans Publishing Co.

Sire, James W. (1980). *"Scripture Twisting."* Downers Grove, IL. InterVarsity Press.

Smith, Bob (1978). *Basics of Bible Interpretation.* Waco, TX. Word Publishing.

The Navigators. (2002). *Discipleship Journal's Best Bible Study Methods.* Colorado Springs, CO. NavPress.

Traina, Robert A. (1980). *Methodical Bible Study*. Grand Rapids, MI. Zondervan.

Virkler, Henry A. (1981). *Hermeneutics. Principles and Processes of Biblical Interpretation.* Grand Rapids. Baker Book House.

Wald, Oletta (2002). *The New Joy of Discovery in Bible Study.* Minneapolis, MN. Augsburg Fortress.

Warren, Rick (2006). *Personal Bible Study Methods: Twelve Way....* Grand Rapids, MI. Zondervan.

Wink, Walter (1980). *Transforming Bible Study.* Nashville, TN. Abingdon Press.

Zodhiates, Spiros (2000). *The Complete Word Study Dictionary : New Testament*, electronic ed. Chattanooga, TN: AMG Publishers.

Zuck, Roy B. (1991). *Basic Bible Interpretation*. David C. Cook Publishers.

Made in the USA
Las Vegas, NV
29 August 2023